CARRÉS CLASSIQUES

Collection COLLÈGE dirigée par
Cécile de Cazanove
Agrégée de Lettres modernes

Quand le quotidien devient étrange...

Le Pied de momie et autres nouvelles fantastiques

Maupassant, Erckmann-Chatrian, Gautier, Poe

Édition présentée par
Christiane Cadet
Agrégée de Lettres modernes

Sommaire

Avant la lecture

Lire La Main de Guy de Maupassant

Lire La Tresse noire d'Erckmann-Chatrian

Lire Le Pied de momie de Théophile Gautier

ISBN : 978-2-09-189437-9
© Nathan 2016.

Lire **Le Portrait ovale** *d'Edgar Allan Poe*

Après la lecture

Autre lecture

Dossier central images en couleurs

Librairie Larousse,
piles d'arrivage de l'imprimerie,
photographie, 1900.

Avant la lecture

● **Qui êtes-vous ?**

Qui êtes-vous, Guy de Maupassant ?

Quand avez-vous commencé à écrire ?

Ma mère, grande lectrice, sœur et amie d'écrivains, m'a communiqué le goût des textes littéraires. Quand j'ai voulu me mettre sérieusement à écrire, j'ai bénéficié, grâce à elle, des conseils de l'un des plus grands auteurs de notre siècle, Gustave Flaubert.

« *J'ai publié plus de 300 nouvelles.* »

Quel est votre premier texte ?

Il s'agit d'une nouvelle parue en 1875, *La Main d'écorché*. Je l'avais écrite sous un pseudonyme. Un événement étrange avait enflammé mon imagination : j'avais 18 ans quand un Anglais que j'avais sauvé de la noyade m'a invité chez lui et montré une main coupée. C'est le point de départ d'un récit fantastique que j'ai ensuite modifié et publié en 1883 sous mon propre nom avec pour titre : *La Main*.

Le succès est-il venu facilement ?

Pendant plusieurs années, j'ai dû gagner ma vie comme employé d'un ministère le jour, et écrire le soir pour différents journaux. Fort heureusement, le succès m'a permis de vivre de ma plume. Entre 1880 et 1890, j'ai publié des romans, plusieurs récits de voyages et plus de 300 nouvelles.

Préférez-vous écrire des récits réalistes ou fantastiques ?

Je m'intéresse à ces deux univers. Le réalisme communique une observation personnelle et précise du monde. Le fantastique rejoint l'imaginaire du rêve. Il exprime l'inquiétude ressentie quand les objets familiers nous menacent, l'angoisse du dédoublement, de la folie et de la mort.

Maupassant est mort en 1893 après plusieurs mois d'internement dans un asile psychiatrique.

Qui êtes-vous, Erckmann-Chatrian ?

Je croyais que vous n'étiez qu'un seul auteur. Mais vous êtes deux ! Racontez-moi votre rencontre.

Émile Erckmann. – Nous sommes nés tous les deux sur des versants opposés des Vosges et nous avons fréquenté, à quatre ans d'intervalle, le collège de Phalsbourg.

À l'âge adulte, Alexandre y a travaillé comme maître d'internat et c'est le directeur de l'établissement qui a provoqué notre rencontre.

Alexandre Chatrian. – En 1848, nous avons décidé de nous associer pour écrire des livres dont la lecture ne serait pas seulement destinée aux riches. Nous avons voulu créer une littérature populaire.

Comment vous répartissez-vous les tâches ? Qui écrit ? Qui corrige ? Qui contacte les éditeurs ?

Émile Erckmann. – Prenons un exemple. En 1859, j'ai séjourné à Phalsbourg et l'ambiance m'a inspiré des contes et des nouvelles fantastiques. À Paris, Alexandre les a relus, corrigés avec mon accord et publiés dans des journaux, puis chez des éditeurs.

> **« Pour une littérature populaire »**

Alexandre Chatrian. – Il arrive aussi que la démarche s'inverse, quand je décide de transposer un roman en pièce de théâtre ! Notre collaboration est possible grâce à notre abondante correspondance et au chemin de fer qui permet de nous rejoindre.

En 1887, Erckmann se plaint de la mauvaise gestion financière de Chatrian. Les anciens amis meurent fâchés, Chatrian en 1890 et Erckmann en 1899.

Qui êtes-vous, Théophile Gautier ?

Vos voyages ont-ils influencé votre œuvre ?

Certainement, car voyager développe l'imagination et fait découvrir de nouveaux paysages, d'autres manières de vivre.

J'ai beaucoup aimé les pays qui bordent la Méditerranée : Espagne, Algérie, Italie et Égypte. Mais je ne suis jamais resté longtemps loin de Paris. J'y retrouve mes amis.

« *Voyager développe l'imagination.* »

Très tôt, j'ai été tellement fasciné par la civilisation de l'Égypte ancienne que j'ai écrit *Le Pied de momie* bien avant même de me rendre dans le pays lors de l'inauguration du canal de Suez.

Quelle importance accordez-vous au récit fantastique ?

Le fantastique m'intéresse car il repousse les frontières de l'espace et du temps. Il permet d'associer la réalité et le rêve qui est une seconde vie. Dans *La Cafetière*, les personnages sortent des tapisseries et une jeune fille morte depuis deux ans danse avec le narrateur. Je soigne toujours mes descriptions pour que le lecteur ait le sentiment d'être dans le réel et brusquement, je fais surgir l'insolite et le mystère. Dans *Le Pied de Momie*, j'évoque le bric-à-brac d'une boutique, l'achat d'un presse-papiers en forme de pied et tout à coup, au cœur de la nuit, le petit pied s'anime et frappe furieusement du talon : le récit n'a plus qu'à se dérouler.

Écrivain célèbre, Théophile Gautier est mort en 1872.

Qui êtes-vous, Edgar Allan Poe ?

Quels ont été vos débuts dans la vie ?

Je suis né à Boston aux États-Unis en 1809. Orphelin dès l'âge de deux ans, je suis recueilli par une riche famille de négociants, les Allan et me nomme désormais Edgar Allan Poe. Je reçois une solide instruction. Mais John Allan, mon tuteur, ne me soutient pas financièrement quand j'entre à l'université de Virginie puis à la célèbre école militaire de West Point. Refusant d'être employé dans son commerce, je romps avec lui.

Quand avez-vous commencé à écrire ?

Très jeune, alors même que j'envisageais une carrière militaire, j'ai édité à mes frais des poèmes et des récits. J'ai commencé à être connu avec *Le Manuscrit trouvé dans une bouteille*, en remportant un concours de poésies et de nouvelles. J'ai alors publié de nombreux récits fantastiques dans des magazines et des revues. Mais je suis resté pauvre toute ma vie.

Vos récits sont souvent très sombres. Pour quelle raison ?

Dans mes récits, comme dans ma vie, l'amour côtoie la mort. Ma jeune épouse, Virginia, que j'ai follement aimée, est morte à l'âge de 24 ans. Le fantastique me convient bien car il laisse dans l'incertitude et l'inquiétude. Dans *Le Portrait ovale*, par exemple, le lecteur est

« *L'amour côtoie la mort.* »

troublé par les signes du dépérissement progressif de la jeune femme et par les indices de la folie du peintre.

En 1849, Edgar Allan Poe meurt à Baltimore d'une congestion cérébrale. En France, Baudelaire découvre son œuvre et la traduit.

La France au XIXᵉ siècle

◆ Un siècle de bouleversements économiques et politiques

Les régimes politiques longs (monarchie constitutionnelle de Louis-Philippe, Second Empire) favorisent **l'essor de la bourgeoisie**. D'importants progrès techniques ont entraîné le **développement financier et industriel**. La production augmente et le pays s'enrichit. Mais ces avancées profitent à ceux qui possèdent les grandes manufactures, les ressources minières et les chemins de fer. La condition des ouvriers est misérable et les soulèvements sont réprimés. En 1848, la Seconde République est proclamée mais vite abolie par le coup d'État de Louis-Napoléon Bonaparte en décembre 1851. La Troisième République naît après la défaite contre la Prusse en 1870.

◆ Le développement de la presse

Dès 1814, l'utilisation de la vapeur permet **un meilleur rendement des machines**. Entre 1860 et 1870, dans les imprimeries, les presses plates sont remplacées par des rotatives qui utilisent le papier en bobines. À la fin du XIXᵉ siècle, la production de journaux est 50 fois supérieure à celle

1809 : Naissance de Poe		1822 Naissance d'Erckmann	1826 Naissance de Chatrian	1840 *Le Pied de momie*	1842 *Le Portrait ovale*	1849 Mort de Poe	1850 : Naissan de Maupassant
	1811 : Naissance de Gautier						

1815-1830 : Restauration	1830-1848 : Monarchie constitutionnelle de Louis-Philippe
1830 Trois Glorieuses	**1836** Fondation du journal de *La Presse*

du début du siècle. Parallèlement, le coût du papier diminue : il n'est plus fabriqué à partir de chiffons mais de bois, moins coûteux.

À Paris, les journaux sont diffusés par porteurs. Ils font l'objet de discussions dans les salons de lecture et les cafés. Mais les abonnements restent chers : la publicité permet d'en baisser le prix. Émile de Girardin, qui a créé *La Presse* en 1836, réduit de moitié le prix de l'abonnement et compense les pertes par le revenu d'annonces publicitaires. Il publie en feuilletons des œuvres des grands romanciers de l'époque (Balzac, Dumas). À la fin du siècle, *Le Petit journal*, fondé en 1863, doit sa large diffusion au fait qu'il ne coûte que cinq centimes (le tiers du prix habituel) et qu'il est vendu en kiosque.

Les directeurs de journaux et les écrivains eux-mêmes trouvent des avantages à travailler ensemble. Les premiers ont besoin de collaborateurs qui savent rédiger. **Ils confient aux écrivains des activités de reportage.** Maupassant, qui a travaillé pour plusieurs journaux (*L'Écho de Paris, Le Figaro, Le Gaulois, Gil Blas...*), a publié plus de 200 chroniques qui font de lui le plus grand journaliste littéraire de son époque. Les feuilletons permettent de fidéliser les lecteurs qui, curieux de connaître la suite de l'histoire, achètent le journal tous les jours pour ne pas manquer un épisode. Les auteurs ont ainsi la possibilité de faire connaître leurs œuvres et d'être payés.

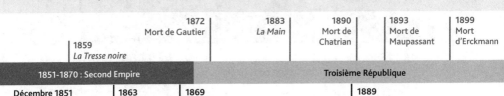

	1859 *La Tresse noire*	1872 Mort de Gautier	1883 *La Main*	1890 Mort de Chatrian	1893 Mort de Maupassant	1899 Mort d'Erckmann
	1851-1870 : Second Empire			Troisième République		
Décembre 1851 Coup d'État de Louis-Napoléon Bonaparte	1863 Fondation du *Petit Journal*	1869 Inauguration du canal de Suez		1889 Inauguration de la tour Eiffel		

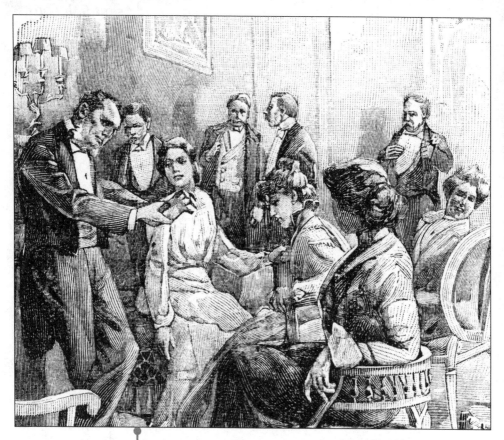

Bocchino, *Le juge Bermutier raconte l'histoire épouvantable de la main coupée*, illustration pour *La Main*, de Maupassant, 1906.

La Main

de Guy de Maupassant

1883

Texte intégral

Qui sont les personnages ?

Sir John Rowell

Cet Anglais roux et barbu, d'une taille colossale, s'installe en Corse, dans une villa isolée du golfe d'Ajaccio. Il ne parle à personne et ne sort que pour chasser ou pêcher.

➤ *Pourquoi se cache-t-il ?*

M. Bermutier

Juge d'instruction à Ajaccio, il est intrigué par d'horribles rumeurs sur Sir John Rowell. Il décide de le rencontrer à la chasse pour faire sa connaissance.

➤ *Percera-t-il le mystère de cet homme ?*

ON FAISAIT CERCLE autour de M. Bermutier, juge d'instruction qui donnait son avis sur l'affaire mystérieuse de Saint-Cloud. Depuis un mois, cet inexplicable crime affolait Paris. Personne n'y comprenait rien.

M. Bermutier, debout, le dos à la cheminée, parlait, assemblait les preuves, discutait les diverses opinions, mais ne concluait pas. Plusieurs femmes s'étaient levées pour s'approcher et demeuraient debout, l'œil fixé sur la bouche rasée du magistrat d'où sortaient les paroles graves. Elles frissonnaient, vibraient, crispées par leur peur curieuse, par l'avide et insatiable[1] besoin d'épouvante qui hante leur âme, les torture comme une faim.

Une d'elles, plus pâle que les autres, prononça pendant un silence : « C'est affreux. Cela touche au "surnaturel". On ne saura jamais rien. »

Le magistrat se tourna vers elle : « Oui, madame, il est probable qu'on ne saura jamais rien. Quand au mot "surnaturel" que vous venez d'employer, il n'a rien à faire ici. Nous sommes en présence d'un crime fort habilement conçu, fort habilement exécuté, si bien enveloppé de mystère que nous ne pouvons le dégager des circonstances impénétrables qui l'entourent. Mais j'ai eu, moi, autrefois, à suivre une affaire où vraiment semblait se mêler quelque chose de fantastique. Il a fallu l'abandonner, d'ailleurs, faute de moyens de l'éclaircir. » Plusieurs femmes prononcèrent en même temps, si vite que leurs voix n'en firent qu'une : « Oh ! dites-nous cela. »

M. Bermutier sourit gravement, comme doit sourire un juge d'instruction. Il reprit : « N'allez pas croire, au moins, que j'aie pu, même un instant, supposer en cette

Le juge d'instruction

Le juge d'instruction dirige l'enquête lorsqu'un crime ou un délit grave est commis. Il travaille en collaboration avec d'autres magistrats, la police et différent experts comme les médecins légistes.

1. Qui ne peut être satisfait.

aventure quelque chose de surhumain. Je ne crois qu'aux causes normales. Mais si, au lieu d'employer le mot "surnaturel" pour exprimer ce que nous ne comprenons pas, nous nous servions simplement du mot "inexplicable", cela vaudrait beaucoup mieux. En tout cas, dans l'affaire que je vais vous dire, ce sont surtout les circonstances environnantes, les circonstances préparatoires qui m'ont ému. Enfin, voici les faits :

J'étais alors juge d'instruction à Ajaccio[1], une petite
40 ville blanche, couchée au bord d'un admirable golfe qu'entourent partout de hautes montagnes. Ce que j'avais surtout à poursuivre là-bas, c'étaient les affaires de vendetta. Il y en a de superbes, de dramatiques au possible, de féroces, d'héroïques. Nous retrouvons là les plus beaux sujets de vengeance qu'on puisse rêver, les haines séculaires[2], apaisées un moment, jamais éteintes, les ruses abominables, les assassinats devenant des massacres et presque des actions glorieuses. Depuis deux ans, je n'entendais parler que du prix du sang, que de ce ter-
50 rible préjugé[3] corse qui force à venger toute injure sur la personne qui l'a faite, sur ses descendants et ses proches. J'avais vu égorger des vieillards, des enfants, des cousins, j'avais la tête pleine de ces histoires.

Or, j'appris un jour qu'un Anglais venait de louer pour plusieurs années une petite villa au fond du golfe. Il avait amené avec lui un domestique français, pris à Marseille en passant. Bientôt, tout le monde s'occupa de ce personnage singulier, qui vivait seul dans sa demeure, ne sortant que pour chasser et pour pêcher. Il ne parlait
60 à personne, ne venait jamais à la ville, et, chaque matin,

La vendetta

Ce mot d'origine italienne signifie « vengeance ». En Corse, on appelait ainsi les règlements de compte entre deux familles. Ils se poursuivaient parfois sur plusieurs générations. Cette justice privée se faisait en dehors de toute légalité.

1. Ville du sud de la Corse.
2. Qui durent depuis des siècles.
3. Idée fixe.

s'exerçait pendant une heure ou deux, à tirer au pistolet et à la carabine[4]. Des légendes se firent autour de lui. On prétendit que c'était un haut personnage fuyant sa patrie pour des raisons politiques ; puis on affirma qu'il se cachait après avoir commis un crime épouvantable. On citait même des circonstances particulièrement horribles.

Je voulus, en ma qualité de juge d'instruction, prendre quelques renseignements sur cet homme ; mais il me fut impossible de rien apprendre. Il se faisait appeler Sir John Rowell. Je me contentai donc de le surveiller de près ; **70** mais on ne me signalait, en réalité, rien de suspect à son égard.

Cependant, comme les rumeurs sur son compte continuaient, grossissaient, devenaient générales, je résolus[5] d'essayer de voir moi-même cet étranger, et je me mis à chasser régulièrement dans les environs de sa propriété. J'attendis longtemps une occasion. Elle se présenta enfin sous la forme d'une perdrix que je tirai et que je tuai devant le nez de l'Anglais. Mon chien me la rapporta ; mais, prenant aussitôt le gibier, j'allai m'excuser de mon **80** inconvenance[6] et prier Sir John Rowell d'accepter l'oiseau mort.

C'était un grand homme à cheveux rouges[7], à barbe rouge, très haut, très large, une sorte d'hercule placide et poli. Il n'avait rien de la raideur[8] dite britannique et il me remercia vivement de ma délicatesse en un français accentué[9] d'outre-Manche. Au bout d'un mois, nous avions causé ensemble cinq ou six fois.

Un soir enfin, comme je passais devant sa porte, je l'aperçus qui fumait sa pipe, à cheval sur une chaise, **90**

Hercule

Fils de Zeus et d'une mortelle, Hercule est un héros des mythologies grecque et latine. Dès sa naissance, il se signale par une force très grande puisqu'il étrangle les serpents envoyés pour le tuer. Cette force lui permet d'exécuter les douze travaux qui ont fait sa célébrité. Il est souvent représenté avec une massue et une peau de lion. On dit d'un homme qu'il est un hercule lorsqu'il est d'une taille et d'une force colossales.

4. Fusil de chasse.
5. Décidai.
6. Impolitesse.
7. Roux.
8. Distance polie.
9. Avec un accent.

dans son jardin. Je le saluai, et il m'invita à entrer pour boire un verre de bière. Je ne me le fis pas répéter. Il me reçut avec toute la méticuleuse courtoisie[1] anglaise, parla avec éloge de la France, de la Corse, déclara qu'il aimait beaucoup *cette* pays, *cette* rivage.

Alors je lui posai, avec de grandes précautions et sous la forme d'un intérêt très vif, quelques questions sur sa vie, sur ses projets. Il répondit sans embarras[2], me raconta qu'il avait beaucoup voyagé, en Afrique, dans les Indes, en Amérique. Il ajouta en riant : « J'avé eu bôcoup d'aventures, oh ! yes. » Puis je me remis à parler chasse, et il me donna des détails les plus curieux sur la chasse à l'hippopotame, au tigre, à l'éléphant et même la chasse au gorille. Je dis : « Tous ces animaux sont redoutables. » Il sourit : « Oh ! nô, le plus mauvais c'été l'homme. » Il se mit à rire tout à fait, d'un bon rire de gros Anglais content : « J'avé beaucoup chassé l'homme aussi. » Puis il parla d'armes, et il m'offrit d'entrer chez lui pour me montrer des fusils de divers systèmes.

Son salon était tendu de noir, de soie noire brodée d'or. De grandes fleurs jaunes couraient sur l'étoffe sombre, brillaient comme du feu. Il annonça : « C'été une drap japonaise. » Mais, au milieu du plus large panneau, une chose étrange me tira l'œil. Sur un carré de velours rouge, un objet noir se détachait. Je m'approchai : c'était une main, une main d'homme. Non pas une main de squelette, blanche et propre, mais une main noire desséchée, avec les ongles jaunes, les muscles à nu et des traces de sang ancien, de sang pareil à une crasse[3], sur les os coupés net, comme d'un coup de hache, vers le milieu de

1. Politesse soignée.
2. Gêne.
3. Saleté.

Bocchino, *Le juge Bermutier voit pour le première fois la main coupée chez Sir John Rowell*, illustration pour *La Main*, de Maupassant, 1906.

l'avant bras. Autour du poignet, une énorme chaîne de fer, rivée[1], soudée à ce membre malpropre[2], l'attachait au mur par un anneau assez fort pour tenir un éléphant en laisse. Je demandai : « Qu'est-ce que cela ? »

L'Anglais répondit tranquillement : « C'été ma meilleur ennemi. Il vené d'Amérique. Il avé été fendu avec le sabre et arraché la peau avec une caillou coupante, et séché dans le soleil pendant huit jours. Aoh, très bonne pour moi. »

Je touchai ce débris humain qui avait dû appartenir à un colosse[3]. Les doigts, démesurément longs, étaient attachés par des tendons[4] énormes que retenaient des lanières de peau par places[5]. Cette main était affreuse à voir, écorchée ainsi, elle faisait penser naturellement à quelque vengeance de sauvage. Je dis : « Cet homme devait être très fort. » L'Anglais prononça avec douceur : « Aoh yes ; mais je été plus fort que lui. J'avé mis cette chaîne pour le tenir. » Je crus qu'il plaisantait. Je dis : « Cette chaîne maintenant est bien inutile, la main ne se sauvera pas. » Sir John Rowell reprit gravement : « Elle voulé toujours s'en aller. Cette chaîne été nécessaire. » D'un coup d'œil rapide j'interrogeai son visage, me demandant : « Est-ce un fou, ou un mauvais plaisant[6] ? » Mais la figure demeurait impénétrable, tranquille et bienveillante. Je parlai d'autre chose et j'admirai les fusils. Je remarquai cependant que trois revolvers chargés étaient posés sur les meubles, comme si cet homme eût vécu dans la crainte constante d'une attaque.

130

140

1. Fixée solidement.
2. Sale.
3. Géant.
4. Attaches des muscles sur le squelette.
5. Endroits.
6. Personne qui fait des plaisanteries de mauvais goût.

Je revins plusieurs fois chez lui. Puis je n'y allai plus. On s'était accoutumé à sa présence ; il était devenu indifférent à tous. 150

Une année entière s'écoula. Or, un matin, vers la fin de novembre, mon domestique me réveilla en m'annonçant que Sir John Rowell avait été assassiné dans la nuit.

Une demi-heure plus tard, je pénétrais dans la maison de l'Anglais avec le commissaire central et le capitaine de gendarmerie. Le valet, éperdu et désespéré, pleurait devant la porte. Je soupçonnai d'abord cet homme, mais il était innocent. On ne put jamais trouver le coupable.

En entrant dans le salon de Sir John, j'aperçus du premier coup d'œil le cadavre étendu sur le dos, au milieu de 160 la pièce. Le gilet était déchiré, une manche arrachée pendait, tout annonçait qu'une lutte terrible avait eu lieu. L'Anglais était mort étranglé ! Sa figure noire et gonflée, effrayante, semblait exprimer une épouvante abominable ; il tenait entre ses dents serrées quelque chose ; et le cou, percé de cinq trous qu'on aurait dits faits avec des pointes de fer, était couvert de sang.

Un médecin nous rejoignit. Il examina longtemps les traces des doigts dans la chair et prononça ces étranges 170 paroles : « On dirait qu'il a été étranglé par un squelette. » Un frisson me passa dans le dos, et je jetai les yeux sur le mur, à la place où j'avais vu jadis l'horrible main d'écorché. Elle n'y était plus. La chaîne, brisée, pendait. Alors je me baissai vers le mort, et je trouvai dans sa bouche crispée un des doigts de cette main disparue, coupé ou plutôt scié par les dents juste à la deuxième phalange. Puis on procéda aux constatations. On ne découvrit rien. Aucune

porte n'avait été forcée, aucune fenêtre, aucun meuble.
180 Les deux chiens de garde ne s'étaient pas réveillés.

Voici, en quelques mots, la déposition du domestique. Depuis un mois, son maître semblait agité. Il avait reçu beaucoup de lettres, brûlées à mesure. Souvent, prenant une cravache[1], dans une colère qui semblait de démence[2], il avait frappé avec fureur cette main séchée, scellée au mur et enlevée, on ne sait comment, à l'heure même du crime. Il se couchait fort tard et s'enfermait avec soin. Il avait toujours des armes à portée du bras. Souvent, la nuit, il parlait haut, comme s'il se fût querellé[3] avec
190 quelqu'un. Cette nuit-là, par hasard, il n'avait fait aucun bruit, et c'est seulement en venant ouvrir les fenêtres que le serviteur avait trouvé Sir John assassiné. Il ne soupçonnait personne. Je communiquai ce que je savais du mort aux magistrats et aux officiers de la force publique, et on fit dans toute l'île une enquête minutieuse. On ne découvrit rien.

Or, une nuit, trois mois après le crime, j'eus un affreux cauchemar. Il me sembla que je voyais la main, l'horrible main, courir comme un scorpion ou comme une
200 araignée le long de mes rideaux et de mes murs. Trois fois, je me réveillai, trois fois je me rendormis, trois fois je revis le hideux débris galoper autour de ma chambre en remuant les doigts comme des pattes. Le lendemain, on me l'apporta, trouvé dans le cimetière, sur la tombe de Sir John Rowell, enterré là ; car on n'avait pu découvrir sa famille. L'index manquait. Voilà, mesdames, mon histoire. Je ne sais rien de plus. »

1. Baguette souple utilisée par les cavaliers pour faire avancer leurs chevaux.
2. Folie furieuse.
3. Disputé.

Les femmes, éperdues, étaient pâles, frissonnantes. Une d'elles s'écria : « Mais ce n'est pas un dénouement cela, ni une explication ! Nous n'allons pas dormir si vous ne nous dites pas ce qui s'était passé, selon vous. »

Le magistrat sourit avec sévérité : « Oh ! moi, mesdames, je vais gâter, certes, vos rêves terribles. Je pense tout simplement que le légitime propriétaire de la main n'était pas mort, qu'il est venu la chercher avec celle qui lui restait. Mais je n'ai pu savoir comment il a fait, par exemple. C'est là une sorte de vendetta. »

Une des femmes murmura : « Non, ça ne doit pas être ainsi. » Et le juge d'instruction, souriant toujours, conclut : « Je vous avais bien dit que mon explication ne vous irait pas. »

Édouard Zier (1866-1924), illustration pour *La Main*, de Maupassant, pour *La Vie populaire* du 10 mai 1885.

Pause lecture 1

L'attrait du mystère l. 1 à 88 (p. 15 à 17)

 Avez-vous bien lu ?

Pourquoi M. Bermutier est-il écouté avec attention ?

❏ Parce qu'il est séduisant.

❏ Parce que ses récits provoquent l'épouvante.

❏ Parce que sa profession impose le respect.

Dans un salon

1 Sur quel sujet porte la conversation ? Qui parle le plus ?

2 Quelles places occupent respectivement dans la pièce le narrateur et son auditoire ? De qui se compose celui-ci en majorité ?

3 Quels effets (comportement, sensations, émotions) produit le récit sur les personnes qui écoutent ? Pour quelle raison ?

D'un récit à l'autre

4 Par quels adjectifs M. Bermutier qualifie-t-il la seconde histoire qu'il va raconter ? Que refuse-t-il comme interprétation ?

5 Où le narrateur exerçait-il ses fonctions ? De quel type d'affaires s'occupait-il d'ordinaire ?

6 En quoi Sir John Rowell est-il « singulier » (l. 58) ? Quelles rumeurs courent à son sujet ? M. Bermutier partage-t-il l'opinion des gens sur le nouvel arrivé ?

L'irruption de l'étrange   l. 89 à 151 (p. 17 à 21)

 Avez-vous bien lu ?

Pourquoi M. Bermutier accepte-t-il l'invitation de Sir John Rowell ?

❏ Parce qu'il ne refuse jamais un verre de bière.

❏ Parce qu'il juge désormais l'Anglais inoffensif.

❏ Parce qu'il veut l'interroger discrètement.

Une conversation paisible

1 Au cours de la scène du jardin, citez trois indices (attitude, propos) qui font de Sir John Rowell un homme détendu et tranquille.

2 « J'avé eu bôcoup d'aventures » (l. 100-101) : relevez les erreurs d'orthographe. Qu'essaie de rendre ainsi le narrateur ? Quel est l'effet sur le lecteur ?

Un univers inquiétant ?

3 En quoi l'intérieur de la maison est-il particulier ? Quel élément du décor est tout à fait insolite ? Énoncez les différentes raisons pour lesquelles il provoque le malaise, l'incompréhension et l'horreur.

4 Relevez les mots (adverbes, groupes nominaux) qui indiquent la façon dont parle l'Anglais. Que remarquez-vous ?

Un fou ?

5 Pourquoi M. Bermutier se demande-t-il tout à coup si Sir John a perdu la raison ? Pour quelle raison abandonne-t-il cette hypothèse ?

Un dénouement fantastique   l. 152 à 221 (p. 21 à 23)

 Avez-vous bien lu ?

Après la mort de Sir John Rowell, que devient la main écorchée ?

❏ Elle disparaît totalement.

❏ Elle s'anime à nouveau.

❏ Elle est retrouvée dans le cimetière.

L'enquête

1 Quelles personnes interviennent dès que la mort de la victime est signalée ? Pourquoi rendent-elles crédible le récit de M. Bermutier ?

2 Quels faits rendent cette enquête particulièrement difficile ?

L'épouvante et l'horreur

3 Dans la description du corps, quels détails indiquent l'épouvante de la victime et provoquent l'horreur du lecteur ?

4 Relevez les termes et expressions qui marquent une progression de l'horreur lors de l'examen du corps (l. 169 à l. 180) et lors du cauchemar du juge (l. 197 à l. 203).

Une explication impossible

5 Selon M. Bermutier, que s'est-il passé ? Montrez que cette interprétation correspond au témoignage du domestique. En quoi cette explication renvoie-t-elle au début du récit ?

6 Quels faits restent inexpliqués ? Citez les indices qui conduisent le lecteur à envisager une intervention surnaturelle.

Vers l'expression

Vocabulaire

1. Indiquez comment est formé l'adjectif *inexplicable* (préfixe, radical, suffixe) et donnez-en le sens.

2. Recopiez les phrases suivantes en replaçant les adjectifs formés sur le même procédé : *imprévisible – inattaquable – incompréhensibles –inévitable – inexplicable.*

L'Anglais semblait .... tellement il était fort et puissamment armé. Mais, il craignait une vengeance .... et sa mort était .... Des blessures .... ont entraîné une mort ....

3. Cherchez le sens de l'adjectif *surnaturel*. Donnez un synonyme. Trouvez trois adjectifs comportant le même préfixe et employez-les dans des phrases.

À vous de jouer

 Trouvez des arguments

Deux personnes qui ont écouté le récit de M. Bermutier discutent et s'opposent. L'une propose une explication naturelle à la mort de Sir John Rowell en s'appuyant sur des faits négligés par l'enquête. Son interlocuteur croit à l'intervention de phénomènes surnaturels.

Préparez des arguments qui vont dans un sens et dans l'autre. Exemples :
– Les chiens ne se sont pas réveillés, parce que l'agression n'était pas humaine.
– Les chiens ne se sont pas réveillés, parce qu'on les avait drogués.

Du texte à l'image

Observez l'image → voir dossier images p. I

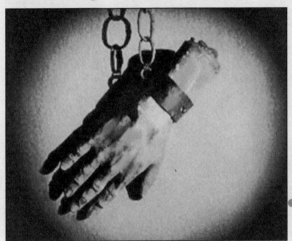

La Main d'écorché, film d'Édouard-Émile Violet (1920), photographie, noir et blanc et teinté.

1 À quel moment de la nouvelle de Maupassant correspond cette image ? Dans le texte, qui regarde ? Dans quelles circonstances ?

2 Décrivez l'image. Comment la main est-elle mise en valeur par l'éclairage ? Selon vous, où est placé le projecteur ?

3 Comment un effet étrange (couleurs, lumière...) est-il créé ?

4 Qu'est-ce qui vous paraît le plus inquiétant, la description de Maupassant ou l'image du film ? Pour quelles raisons ?

Paul J. Guilloteau, *Le Pont suspendu de Charleville*, vers 1880, photographie rehaussée d'aquarelle, musée Rimbaud, Charleville.

La Tresse noire

d'Erckmann-Chatrian

1859

Texte intégral

Qui sont les personnages ?

Georges Taifer

Originaire de Charleville où il a passé sa jeunesse, il est revenu dans sa ville natale, bronzé par le soleil d'Afrique et en uniforme d'officier. Il est cependant étrangement silencieux et solitaire.

➤ *Quel mystère cache-t-il ?*

Théodore

Ami de Georges Taifer pendant sa jeunesse, il n'a jamais quitté Charleville. Il est devenu l'organiste de la cathédrale. Il a la nostalgie du passé et s'interroge sur le comportement de Georges.

➤ *Retrouvera-t-il leur complicité d'autrefois ?*

IL Y AVAIT BIEN QUINZE ANS que je ne songeais plus à mon ami Taifer, quand un beau jour, son souvenir me revint à la mémoire. Vous dire comment, pourquoi, me serait chose impossible. Les coudes sur mon pupitre, les yeux tout grands ouverts, je rêvais au bon temps de notre jeunesse. Il me semblait parcourir la grande allée des Marronniers à Charleville[1], et je fredonnais involontairement le joyeux refrain de Georges : « Versez, amis, versez à boire ! » Puis tout à coup, revenant à moi, je m'écriai : « À quoi diable songes-tu ? Tu te crois jeune encore ! Ah ! ah ! ah ! pauvre fou ! »

10

Or, à quelques jours de là, rentrant vers le soir de la chapelle Louis-de-Gonzague, j'aperçus en face des écuries du haras[2] un officier de spahis[3] en petite tenue[4], le képi sur l'oreille et la bride d'un superbe cheval arabe au bras. La physionomie de ce cheval me parut singulièrement belle ; il inclinait la tête par-dessus l'épaule de son maître et me regardait fixement. Ce regard avait quelque chose d'humain.

La porte de l'écurie s'ouvrit, l'officier remit au palefrenier[5] la bride de son cheval, et se tournant de mon côté, nos yeux se rencontrèrent : c'était Taifer ! Son nez crochu, ses petites moustaches blondes, rejoignant une barbiche taillée en pointe, ne pouvaient me laisser aucun doute, malgré les teintes ardentes du soleil d'Afrique empreintes[6] sur sa face.

20

Taifer me reconnut, mais pas un muscle de son visage ne tressaillit, pas un sourire n'effleura ses lèvres. Il vint à moi lentement, me tendit la main et me dit :

La colonisation

La colonisation consiste à transformer un pays en une colonie, c'est-à-dire un territoire dépendant d'une métropole. En Algérie, la colonisation française commence en 1830 et se poursuit tout au long du XIXe siècle. L'Algérie redeviendra indépendante en 1962.

1. Ville des Ardennes, dans le nord de la France.
2. Bâtiment consacré à l'élevage des chevaux.
3. Cavaliers de l'armée française d'Afrique.
4. En tenue militaire ordinaire (par opposition à la tenue de défilé).
5. Valet chargé du soin des chevaux.
6. Marquées.

« Bonjour, Théodore, tu vas toujours bien ? », comme s'il ne m'eût quitté que la veille. Ce ton simple m'étonna tellement, que je répondis de même :

« Mais oui, Georges, pas mal.

– Allons, tant mieux, fit-il, tant mieux. »

Puis il me prit le bras et me demanda :

« Où allons-nous ?

– Je rentrais chez moi.

– Eh bien, je t'accompagne. »

Nous descendîmes la rue de Clèves tout rêveurs.

Arrivés devant ma porte, je grimpai l'étroit escalier. Les éperons[1] de Taifer résonnaient derrière moi, cela me paraissait étrange. Dans ma chambre, il jeta son képi sur le piano et prit une chaise. Je déposai mon cahier de musique dans un coin, et, m'étant assis, nous restâmes tout méditatifs[2] en face l'un de l'autre.

Au bout de quelques minutes, Taifer me demanda d'un son de voix très doux :

« Tu fais donc toujours de la musique, Théodore ?

– Toujours, je suis organiste[3] de la cathédrale.

– Ah ! et tu joues toujours du violon ?

– Oui.

– Te rappelles-tu, Théodore, la chansonnette de Louise ? »

En ce moment, tous les souvenirs de notre jeunesse se retracèrent avec tant de vivacité à mon esprit, que je me sentis pâlir ; sans proférer[4] un mot, je détachai mon violon de la muraille, et je me mis à jouer la chansonnette de Louise, mais si bas… si bas… que je croyais seul l'entendre.

1. Pièce de métal fixée à l'arrière des bottes d'un cavalier qui sert à piquer les chevaux pour les faire avancer.
2. Pensifs.
3. Musicien qui joue de l'orgue.
4. Dire.

Georges m'écoutait, les yeux fixés devant lui ; à la dernière note il se leva, et, me prenant les mains avec force, il me regarda longtemps.

« Encore un bon cœur celui-là, dit-il, comme parlant à lui-même. Elle t'a trompé, n'est-ce pas ? Elle t'a préféré M. Stanislas, à cause de ses breloques[5] et de son coffre-fort ? »

Je m'assis en pleurant.

Taifer fit trois ou quatre tours dans la chambre, et, s'arrêtant tout à coup, il se prit à considérer ma guitare en silence ; puis il la décrocha, ses doigts en effleurèrent les cordes, et je fus surpris de la netteté bizarre de ces quelques notes rapides ; mais Georges rejeta l'instrument, qui rendit un soupir plaintif ; sa figure devint sombre, il alluma une cigarette et me souhaita le bonsoir. Je l'écoutai descendre l'escalier. Le bruit de ses pas retentissait dans mon cœur.

Quelques jours après ces événements, j'appris que le capitaine Taifer s'était installé dans une chambre donnant sur la place Ducale. On le voyait fumer sa pipe sur le balcon, mais il ne faisait attention à personne. Il ne fréquentait point le café des officiers. Son unique distraction était de monter à cheval et de se promener le long de la Meuse, sur le chemin de halage. Chaque fois que le capitaine me rencontrait, il me criait de loin : « Bonjour, Théodore ! » J'étais le seul auquel il adressât la parole.

Vers les derniers jours d'automne, monseigneur de Reims fit sa tournée pastorale[6]. Je fus très occupé durant ce mois ; il me fallut tenir l'orgue en ville et au séminaire[7], je n'avais pas une minute à moi. Puis, quand monseigneur fut parti, tout retomba dans le calme habituel. On

Le chemin de halage

Il s'agit d'un sentier qui suit les rives d'un canal afin de tirer des péniches (généralement au moyen d'un attelage de chevaux).

5. Petits bijoux accrochés à une chaîne de montre.
6. Visite des différentes églises dont il a la charge.
7. Lieu où les prêtres sont formés.

ne parlait plus du capitaine Taifer. Le capitaine avait quitté son logement de la place Ducale ; il ne faisait plus de promenades ; et d'ailleurs, dans le grand monde, il n'était plus question que des dernières fêtes, et des grâces[1] infinies de monseigneur[2] ; moi-même je ne pensais plus à mon vieux camarade.

Un soir, que les premiers flocons de neige voltigeaient devant ma fenêtre, et que, tout grelottant, j'allumais mon feu et préparais ma cafetière, j'entends des pas dans l'escalier. « C'est Georges ! » me dis-je. La porte s'ouvre. En effet, c'était lui, toujours le même. Seulement un petit manteau de toile cirée cachait les broderies d'argent de sa veste bleu-de-ciel. Il me serra la main et me dit :

« Théodore, viens avec moi, je souffre aujourd'hui, je souffre plus que d'habitude.

– Je veux bien, lui répondis-je en passant ma redingote, je veux bien, puisque cela te fait plaisir. »

Nous descendîmes la rue silencieuse, en longeant les trottoirs couverts de neige.

À l'angle du jardin des Carmes, Taifer s'arrêta devant une maisonnette blanche à persiennes[3] vertes ; il en ouvrit la porte, nous entrâmes, et je l'entendis refermer derrière nous. D'antiques portraits ornaient le vestibule, l'escalier en coquille[4] était d'une élégance rare ; au haut de l'escalier, un burnous[5] rouge pendait au mur. Je vis tout cela rapidement, car Taifer montait vite. Quand il m'ouvrit sa chambre, je fus ébloui ; monseigneur lui-même n'en a pas de plus somptueuse : sur les murs à fond d'or, se détachaient de grandes fleurs pourpres, des armes orientales et de superbes pipes turques incrustées de nacre. Les

1. Qualités.
2. L'évêque.
3. Volets comportant des jours.
4. Colimaçon.
5. Grand manteau de laine à capuchon en usage en Afrique du Nord.

meubles d'acajou avaient une forme accroupie, massive, vraiment imposante. Une table ronde, à plaque de marbre vert, jaspé[6] de bleu, supportait un large plateau de laque[7] violette, et sur le plateau, un flacon ciselé[8] renfermant une essence couleur d'ambre[9]. Je ne sais quel parfum subtil se mêlait à l'odeur résineuse[10] des pommes de pin qui brûlaient dans l'âtre[11].

« Que ce Taifer est heureux ! me disais-je, il a rapporté tout cela de ses campagnes d'Afrique. Quel riche pays ! Tout s'y trouve en abondance : l'or, la myrrhe[12] et l'encens[13], et des fruits incomparables, et de grandes femmes pâles aux yeux de gazelle, plus flexibles[14] que les palmiers, selon le Cantique des Cantiques[15]. »

Telles étaient mes réflexions.

Taifer bourra une de ses pipes et me l'offrit ; lui-même venait d'allumer la sienne, une superbe pipe turque à bouquin[16] d'ambre. Nous voilà donc étendus nonchalamment sur des coussins amarante[17], regardant le feu déployer ses tulipes rouges et blanches sur le fond noir de la cheminée. J'écoutais les cris des moineaux blottis sous les gouttières, et la flamme ne m'en paraissait que plus belle. Taifer levait de temps en temps sur moi ses yeux gris, puis il les abaissait d'un air rêveur.

« Théodore, me dit-il enfin, à quoi penses-tu ?

– Je pense qu'il aurait mieux valu pour moi faire un tour d'Afrique, que de rester à Charleville, lui répondis-je ; combien de souffrances et d'ennuis je me serais épargnés, que de richesses j'aurais acquises ! Ah ! Louise avait bien raison de me préférer M. Stanislas, je n'aurais pu la rendre heureuse ! »

L'orientalisme

L'Orient est à la mode au XIXᵉ siècle, en liaison avec les conquêtes coloniales. Peintres et écrivains effectuent souvent un voyage en Orient. Ils en reviennent avec des souvenirs de paysages mais aussi d'un certain raffinement (architecture, étoffes, parfums, etc.). Taifer a rapporté d'Algérie de nombreux objets précieux qui émerveillent le narrateur.

---

6. Rayé.
7. Sorte de peinture très lisse et très brillante.
8. Sculpté.
9. Substance jaune-orangée.
10. De résine.
11. La cheminée.
12. Résine aromatique utilisée comme encens.
13. Résine qui produit une odeur forte lorsqu'on la brûle.
14. Souples.
15. Livre de la Bible.
16. Embouchure.
17. Rouge foncé.

Taifer sourit avec amertume. « Ainsi, dit-il, tu envies mon bonheur ? »

J'étais tout stupéfait, car Georges, en ce moment, ne se ressemblait plus à lui-même ; une émotion profonde l'agitait, son regard était voilé de larmes. Il se leva brusquement et fut[1] se poser devant une fenêtre, tambourinant sur les vitres, et sifflant entre ses dents je ne sais quel air de *La Gazza Ladra*[2]. Puis il pirouetta et vint emplir deux petits verres de sa liqueur ambrée.

« À ta santé ! camarade, dit-il.

160 – À la tienne, Georges ! »

Nous bûmes.

Une saveur aromatique me monta subitement au cerveau. J'eus des éblouissements ; un bien-être indéfinissable, une vigueur[3] surprenante me pénétra jusqu'à la racine des cheveux.

« Qu'est-ce que cela ? lui demandai-je.

– C'est un cordial[4], fit-il ; on pourrait le nommer un rayon de soleil d'Afrique, car il renferme la quintessence[5] des aromates les plus rares du sol africain.

170 – C'est délicieux. Verse-m'en encore un verre, Georges.

– Volontiers, mais noue d'abord cette tresse de cheveux à ton bras. »

Il me présentait une natte de cheveux noirs, luisants comme du bronze[6].

Je n'eus aucune objection à lui faire[7], seulement cela me parut étrange. Mais à peine eus-je vidé mon second verre, que cette tresse s'insinua, je ne sais comment jusqu'à mon épaule. Je la sentis glisser sous mon bras et se tapir[8] près de mon cœur.

1. Alla.
2. Opéra de Rossini connu en français sous le nom de *La Pie Voleuse*.
3. Force.
4. Liqueur.
5. Le concentré, le meilleur.
6. Métal foncé, alliage de cuivre et d'étain.
7. Je ne refusai pas.
8. Se cacher.

Fédérico Faruffini (1831-1869), *Vengeance au harem*, 1854,
huile sur toile (92,5 x 78,5 cm), Pavie, musée municipal Del Castello Visconteo,
Pinacoteca Malaspina, Italie.

« Taifer, m'écriai-je ôte-moi ces cheveux, ils me font mal !

– Laisse-moi respirer !

– Ôte-moi cette tresse, ôte-moi cette tresse, repris-je. Ah ! je vais mourir !

– Laisse-moi respirer, dit-il encore.

– Ah ! mon vieux camarade... Ah ! Taifer... Georges !... Ôte-moi cette tresse de cheveux... Elle m'étrangle !

– Laisse-moi respirer ! » fit-il avec un calme terrible.

Alors je me sentis faiblir... Je m'affaissai sur moi-même... Un serpent me mordait au cœur. Il se glissait autour de mes reins... Je sentais ses anneaux froids couler lentement sur ma nuque et se nouer à mon cou. Je m'avançai vers la fenêtre en gémissant, et je l'ouvris d'une main tremblante. Un froid glacial me saisit, et je tombai sur mes genoux, invoquant le Seigneur ! Subitement la vie me revint.

Quand je me redressai, Taifer, pâle comme la mort, me dit : « C'est bien, je t'ai ôté la tresse. » Et montrant son bras : « La voilà ! » Puis, avec un éclat de rire nerveux : « Ces cheveux noirs valent bien les cheveux blonds de ta Louise, n'est-ce pas ? Chacun porte sa croix[1], mon brave... plus ou moins stoïquement[2], voilà tout. Mais souviens-toi que l'on s'expose à de cruels mécomptes[3], en enviant le bonheur des autres, car la vipère est deux fois vipère, dit le proverbe arabe, lorsqu'elle siffle au milieu des roses ! »

J'essuyai la sueur qui ruisselait de mon front, et je m'empressai[4] de fuir ce lieu de délices, hanté par le spectre du remords.

Le serpent, un animal diabolique

La Genèse, premier livre de la Bible, raconte que Dieu interdit à Adam et Ève de goûter au fruit défendu. Le serpent, dont le diable a pris les traits, séduit Ève et l'incite à la désobéissance. Il est maudit par Dieu qui met dans sa bouche le venin et le condamne à ramper. Il est le symbole de la tentation et du mal.

---

1. Chacun doit assumer ses problèmes.
2. Avec courage.
3. Malheurs.
4. Je me dépêchai.

Ah ! qu'il est doux, mes chers amis, de se reposer sur un modeste escabeau[5], en face d'un petit feu couvert de cendre, d'écouter sa théière babiller[6] avec le grillon[7] au coin de l'âtre, et d'avoir au cœur un lointain souvenir d'amour, qui nous permette de verser de temps en temps une larme sur nous-même !

5. Sorte de tabouret.
6. Bavarder.
7. Dans la tradition populaire, le chant de ce petit insecte symbolise le bonheur du foyer.

Ornement en forme de serpent, VIIIe-IXe s, ronde-bosse en cuivre (16,3 cm), art du Nigeria, National Museum, Lagos, Nigeria.

Paul Gavarni (1804-1866), *Far niente*, 1825, dessin, coll. privée.

Pause lecture 2

L'ami retrouvé l. 1 à 95 (p. 33 à 36)

 Avez-vous bien lu ?

Depuis combien de temps les deux amis se sont-ils quittés ?

❏ Dix ans.

❏ Quinze ans.

❏ Vingt ans.

La rencontre

1 Quel événement précède les retrouvailles des deux amis ? Quel souvenir le narrateur a-t-il gardé de Taifer ?

2 Le narrateur reconnaît-il tout de suite son ami ? Par quoi son attention est-elle d'abord attirée ? Quelle réflexion se fait-il ?

L'échange

3 Quelle est la réaction de Taifer en reconnaissant son ami ? En quoi est-elle surprenante ?

4 Dans l'échange qui suit, montrez que l'amitié semble renaître. Vous prendrez en compte les actions, les propos, les silences, le ton de la voix, la part des souvenirs. La soirée se termine-t-elle joyeusement ? Expliquez.

L'éloignement

5 Comment se comporte Taifer après la soirée ?

6 Le narrateur cherche-t-il une explication à ce comportement ? Pourquoi ?

La splendeur orientale   l. 96 à 174 (p. 36 à 38)

 Avez-vous bien lu ?

Quand il vient chercher son ami, Georges Taifer dit qu'il souffre :

❑ d'une maladie grave ?

❑ d'un chagrin d'amour ?

❑ d'un mal d'origine inconnue ?

Brusque réapparition

1 Dans quelles circonstances Georges Taifer réapparaît-il chez Théodore ? Quel temps verbal marque la soudaineté de cette arrivée ? Expliquez cet emploi.

2 Comment Théodore réagit-il ? Quels sentiments et quelle personnalité son comportement traduit-il ?

La découverte d'un univers oriental

3 À travers quel regard la maison de Georges Taifer est-elle décrite ? Quelles impressions se dégagent des objets de cet intérieur ?

4 Quel effet la découverte de la maison fait-elle sur Théodore ?

Une image du bonheur

5 Pour quelles raisons Théodore envie-t-il son ami ? Comparez leurs vies.

6 Quel contraste y a-t-il entre l'intérieur et l'extérieur de la maison ? Pourquoi Théodore a-t-il oublié ce que lui a dit son ami quand il est venu le chercher ?

Le maléfice l. 175 à 214 (p. 38 à 41)

 Avez-vous bien lu ?

Quelle boisson Georges sert-il à Théodore ?

❏ Du vin.

❏ Du poison.

❏ Une liqueur étrange.

Une étrange demande

1 Pourquoi Théodore accepte-t-il immédiatement de nouer la tresse à son bras ? Dans quel état est-il ? Pourquoi cette demande lui paraît-elle cependant « étrange » (l. 176) ?

Une tresse diabolique

2 Relevez les verbes d'action qui transforment la tresse en animal sournois. Quel trajet suit-elle sur le corps de Théodore ?

3 Quelle métaphore en fait un être dangereux et un démon ? Comment Théodore s'en libère-t-il ?

La part de l'ambiguïté

4 Quelles sont les réactions de Georges quand Théodore le supplie d'intervenir ? Qu'est-ce qui fait de lui un bourreau ? De quoi est-il lui-même victime ?

5 Pourquoi a-t-il fait subir ce supplice à son ami ?

6 Théodore a-t-il un doute sur l'intervention du surnaturel ? Que conclut-il de son expérience ?

Vers l'expression

Vocabulaire

1. Classez les synonymes suivants par ordre d'intensité.

a. allégresse – **b.** bien-être – **c.** bonheur – **d.** contentement – **e.** délices – **f.** euphorie – **g.** félicité – **h.** joie – **i.** plaisir – **j.** ravissement.

2. Voici des synonymes du mot souffrance. Recopiez ce texte en les replaçant aux endroits qui conviennent : *douleur – torture – tourment – malaise*.

Quand Georges attache la natte aux bras de Théodore, celui-ci n'éprouve d'abord aucun .... La ..... devient de plus en plus intense et constitue une véritable ..... . Quand ce ..... s'arrête, Théodore s'enfuit, terrifié.

À vous de jouer

✎ Racontez le début d'une histoire

Un soir, Georges revient voir son ami Théodore et lui raconte comment il est entré en possession de la tresse, alors qu'il était officier en Afrique du Nord.

Vous pouvez choisir entre les possibilités suivantes :

a. Georges a rompu une promesse et provoqué la perte d'une belle jeune fille qui lui avait donné une tresse en gage de fidélité. Il est poursuivi par des tourments attribués tantôt aux remords, tantôt à une puissance magique.

b. Georges a rencontré un être magnifique dont il ignore si elle est femme ou démon. Après un bonheur extrême, elle lui fait connaître les pires tourments.

Racontez en une trentaine de lignes. Georges est le narrateur et s'exprime à la première personne. Il s'adresse à Théodore.

Du texte à l'image

Observez le tableau → voir dossier images p. II

Jean-Léon Gérôme (1824-1904),
Beauté circassienne voilée, 1876,
huile sur toile (40,7 x 32,6 cm),
collection privée.

1. Dans quelle attitude le peintre a-t-il choisi de faire poser la jeune femme ?

2. De quels pays cette jeune femme pourrait-elle être originaire ? Faites une recherche sur le titre.

3. Qu'est-ce qui la rend mystérieuse et énigmatique ?

4. Observez le choix et la répartition des couleurs et indiquez les principaux contrastes. Que mettent-ils en valeur ?

5. Relevez dans le costume et le décor ce qui traduit la richesse et le raffinement.

Maxime du Camp (1822-1894), *Le Sphinx*, vers 1850, photographie (18 x 24 cm).

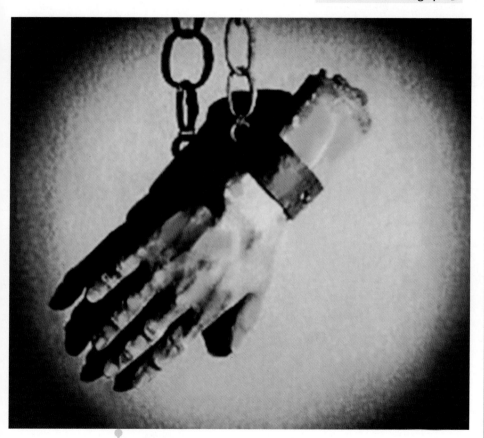

La Main d'écorché

Film d'Édouard-Émile Violet (1920), photographie,
noir et blanc et teinté.

I

Dossier images

II

Beauté circassienne voilée, 1876

Jean-Léon Gérôme (1824-1904), huile sur toile (40,7 x 32,6 cm),
collection privée.

Portrait de la reine Néfertari,
grande épouse royale de Ramsès II (1290-1224 av. J.-C.)

Tombe de Néfertari, fresque de l'annexe de l'antichambre, Thèbes.

III

Dossier images

Harry Potter à l'école des sorciers

Image du film de Chris Columbus, 2001.

IV

Le Pied de momie

de Théophile Gautier

1840

Texte intégral

Qui sont les personnages ?

Le marchand

Ce vieillard inquiète par le scintillement de ses petits yeux jaunes tremblotants. À Paris, au XIXe siècle, il tient une boutique de curiosités mais trente siècles auparavant, il a voulu épouser la princesse Hermonthis.

● Comment s'est-il vengé de son refus ?

La princesse Hermonthis

La jeune fille est d'une beauté parfaite et porte un étrange costume fait de bandelettes à demi dénouées. Elle semble avoir une idée précise en tête.

● Que cherche-t-elle ?

Le narrateur

C'est un jeune homme de 27 ans, un peu poète et fantaisiste. Il voudrait épouser la princesse Hermonthis.

● Y parviendra-t-il ?

J'ÉTAIS ENTRÉ PAR DÉSŒUVREMENT[1] chez un de ces marchands de curiosités[2] dits marchands de bric-à-brac dans l'argot parisien, si parfaitement inintelligible[3] pour le reste de la France. Vous avez sans doute jeté l'œil, à travers le carreau, dans quelques-unes de ces boutiques devenues si nombreuses depuis qu'il est de mode d'acheter des meubles anciens, et que le moindre agent de change[4] se croit obligé d'avoir sa *chambre moyen âge*[5].

C'est quelque chose qui tient à la fois de la boutique du ferrailleur, du magasin du tapissier, du laboratoire de l'alchimiste[6] et de l'atelier du peintre ; dans ces antres mystérieux où les volets filtrent un prudent demi-jour, ce qu'il y a de plus notoirement ancien, c'est la poussière ; les toiles d'araignées y sont plus authentiques que les guipures[7], et le vieux poirier y est plus jeune que l'acajou[8] arrivé hier d'Amérique.

Le magasin de mon marchand de bric-à-brac était un véritable capharnaüm[9] ; tous les siècles et tous les pays semblaient s'y être donné rendez-vous ; une lampe étrusque[10] de terre rouge posait sur une armoire de Boulle[11], aux panneaux d'ébène sévèrement rayés de filaments de cuivre ; une duchesse[12] du temps de Louis XV allongeait nonchalamment ses pieds de biche sous une épaisse table du règne de Louis XIII, aux lourdes spirales de bois de chêne, aux sculptures entremêlées de feuillages et de chimères[13].

Une armure damasquinée[14] de Milan faisait miroiter dans un coin le ventre rubané[15] de sa cuirasse ; des amours et des nymphes[16] de biscuit[17], des magots[18] de la Chine, des cornets de céladon[19] et de craquelé[20], des tasses

10

20

30

1. Pour passer le temps.
2. Brocanteurs.
3. Incompréhensible.
4. Personne qui travaille à la Bourse.
5. Dans le style du Moyen Âge.
6. Personne qui essaie de transformer les métaux en or.
7. Dentelles.
8. Bois de couleur rouge.
9. Amas d'objets entassés pêle-mêle.
10. Peuple de l'Italie antique.
11. Ébéniste parisien réputé (1642-1732).
12. Grand lit à baldaquin.
13. Animaux fabuleux avec une tête de lion.
14. Incrustée de petits filets d'or ou d'argent.
15. Plat et mince comme un ruban.
16. Divinités des eaux.
17. Porcelaine.
18. Objets en porcelaine.
19. Porcelaine vert tendre.
20. Porcelaine fendillée.

de saxe et de vieux sèvres encombraient les étagères et les encoignures.[1]

Sur les tablettes denticulées[2] des dressoirs[3], rayonnaient d'immenses plats du Japon, aux dessins rouges et bleus, relevés de hachures d'or, côte à côte avec des émaux de Bernard Palissy[4], représentant des couleuvres, des grenouilles et des lézards en relief.

Des armoires éventrées s'échappaient des cascades de lampas[5] glacé d'argent, des flots de brocatelle[6] criblée de grains lumineux par un oblique rayon de soleil ; des portraits de toutes les époques souriaient à travers leur vernis jaune dans des cadres plus ou moins fanés.

Le marchand me suivait avec précaution dans le tortueux passage pratiqué entre les piles de meubles, abattant de la main l'essor hasardeux des basques[7] de mon habit, surveillant mes coudes avec l'attention inquiète de l'antiquaire et de l'usurier[8].

C'était une singulière figure que celle du marchand : un crâne immense, poli comme un genou, entouré d'une maigre auréole de cheveux blancs que faisait ressortir plus vivement le ton saumon-clair de la peau, lui donnait un faux air de bonhomie patriarcale[9], corrigée, du reste, par le scintillement de deux petits yeux jaunes qui tremblotaient dans leur orbite comme deux louis d'or sur du vif-argent[10]. La courbure du nez avait une silhouette aquiline[11] qui rappelait le type oriental. Ses mains, maigres, fluettes, veinées, pleines de nerfs en saillie comme les cordes d'un manche à violon, onglées de griffes semblables à celles qui terminent les ailes membraneuses des chauves-souris, avaient un mouvement d'oscillation

1. Angles.
2. Décorés en forme de dents.
3. Meuble dans lequel on range la vaisselle.
4. Potier, céramiste et émailleur (1510-1589).
5. et 6. Tissus.
7. Partie basse d'une veste.
8. Prêteur.
9. Bienveillance paternelle.
10. Mercure.
11. En bec d'aigle.

Eduardo Vianella, *La Boutique de curiosités*, xixᵉ siècle,
huile sur toile (63,2 x 88,7 cm), Regional A. Deineka Art Gallery, Koursk, Russie.

sénile[1], inquiétant à voir ; mais ces mains agitées de tics fiévreux devenaient plus fermes que des tenailles d'acier ou des pinces de homard dès qu'elles soulevaient quelque objet précieux, une coupe d'onyx[2], un verre de Venise ou un plateau de cristal de Bohême ; ce vieux drôle avait un air si profondément rabbinique[3] et cabalistique qu'on l'eût brûlé sur la mine, il y a trois siècles.

« Ne m'achèterez-vous rien aujourd'hui, monsieur ? Voilà un kriss malais[4] dont la lame ondule comme une flamme ; regardez ces rainures pour égoutter le sang, ces dentelures pratiquées en sens inverse pour arracher les entrailles en retirant le poignard ; c'est une arme féroce, d'un beau caractère et qui ferait très bien dans votre trophée[5] ; cette épée à deux mains est très belle, elle est de Josepe de la Hera[6], et cette cauchelimarde à coquille fenestrée[7], quel superbe travail !

– Non, j'ai assez d'armes et d'instruments de carnage ; je voudrais une figurine, un objet quelconque qui pût me servir de serre-papier, car je ne puis souffrir tous ces bronzes de pacotille que vendent les papetiers, et qu'on retrouve invariablement sur tous les bureaux. »

Le vieux gnome[8], furetant dans ses vieilleries, étala devant moi des bronzes antiques ou soi-disant tels, des morceaux de malachite[9], de petites idoles indoues ou chinoises, espèce de poussahs[10] de jade, incarnations de Brahma ou de Wishnou[11] merveilleusement propres à cet usage, assez peu divin, de tenir en place des journaux et des lettres.

J'hésitais entre un dragon de porcelaine tout constellé de verrues[12], la gueule ornée de crocs et de barbelures[13],

La cabale

À l'origine, il s'agit d'interprétations effectuées à partir des 22 signes de l'alphabet hébraïque, représentant chacun à la fois une lettre et un chiffre. Ces interprétations donnent à certains passages de la Bible un sens symbolique. Ensuite, la cabale renvoie à des pratiques de magie qui feraient communiquer le monde des vivants avec celui des morts.

1. Typique d'un vieillard.
2. Pierre de couleur noire.
3. Religieux du culte juif.
4. Couteau de Malaisie.
5. Collection d'armes.
6. Armurier de Tolède.
7. Lourde épée à poignée ajourée.
8. Petit génie difforme.
9. Pierre semi-précieuse de couleur verte.
10. Gros hommes.
11. Dieux hindous.
12. Sorte de boutons.
13. Aspérités en forme d'épis.

et un petit fétiche mexicain fort abominable, représentant au naturel le dieu Witziliputzili[14], quand j'aperçus un pied charmant que je pris d'abord pour un fragment de Vénus antique.

Il avait ces belles teintes fauves et rousses qui donnent au bronze florentin cet aspect chaud et vivace, si préférable au ton vert-de-grisé des bronzes ordinaires qu'on prendrait volontiers pour des statues en putréfaction : des luisants satinés frissonnaient sur ses formes rondes et polies par les baisers amoureux de vingt siècles ; car ce devait être un airain de Corinthe[15], un ouvrage du meilleur temps, peut-être une fonte de Lysippe[16] !

« Ce pied fera mon affaire », dis-je au marchand, qui me regarda d'un air ironique et sournois en me tendant l'objet demandé pour que je pusse l'examiner plus à mon aise.

Je fus surpris de sa légèreté ; ce n'était pas un pied de métal, mais bien un pied de chair, un pied embaumé, un pied de momie : en regardant de près, l'on pouvait distinguer le grain de la peau et la gaufrure[17] presque imperceptible imprimée par la trame des bandelettes. Les doigts étaient fins, délicats, terminés par des ongles parfaits, purs et transparents comme des agates[18] ; le pouce, un peu séparé, contrariait heureusement le plan des autres doigts à la manière antique et lui donnait une attitude dégagée, une sveltesse de pied d'oiseau ; la plante[19], à peine rayée de quelques hachures invisibles, montrait qu'elle n'avait jamais touché la terre, et ne s'était trouvée en contact qu'avec les plus fines nattes de roseaux du Nil et les plus moelleux tapis de peaux de panthères.

14. Dieu de la guerre chez les Aztèques.
15. Alliage de métal à base de cuivre, d'or et d'argent venant de la ville grecque de Corinthe.
16. Célèbre sculpteur grec (IVe s. av. J.-C.).
17. Trace.
18. Pierres semi-précieuses.
19. Dessous du pied.

Les momies en Égypte

Les Égyptiens de l'Antiquité croyaient que la préservation du cadavre des pharaons leur assurait une vie éternelle dans l'au-delà. Ils utilisaient donc un ensemble de techniques destinées à conserver le corps (retrait des viscères et du cerveau, remplissage du corps avec des goudrons, des bitumes et des plantes, protection externe par un emballage de plusieurs bandelettes). C'est ce qu'on appelle la momification.

1. Le nom de la princesse correspond à celui d'une ville de l'Égypte antique.
2. Écriture des anciens Éyptiens.
3. L'autre pied.
4. Regarderiez avec attention.
5. Une pièce de cinq francs, en argot du XIXe siècle.
6. Circulaire.
7. Étoffe précieuse.

« Ha ! ha ! vous voulez le pied de la princesse Hermonthis[1], dit le marchand avec un ricanement étrange, en fixant sur moi ses yeux de hibou ; ha ! ha ! ha ! pour un serre-papiers ! idée originale, idée d'artiste. Qui aurait dit au vieux pharaon que le pied de sa fille adorée servirait de serre-papiers l'aurait bien surpris, lorsqu'il faisait creuser une montagne de granit pour y mettre le triple cercueil peint et doré, tout couvert d'hiéro-glyphes[2] avec de belles peintures du jugement des âmes, 130 ajouta à demi-voix et comme se parlant à lui-même le petit marchand singulier.

– Combien me vendrez-vous ce fragment de momie ?

– Ah ! le plus cher que je pourrai, car c'est un morceau superbe ; si j'avais le pendant[3], vous ne l'auriez pas à moins de cinq cents francs : la fille d'un pharaon, rien n'est plus rare.

– Assurément, cela n'est pas commun ; mais enfin combien en voulez-vous ? D'abord je vous avertis d'une chose, c'est que je ne possède pour trésor que cinq louis ; 140 j'achèterai tout ce qui coûtera cinq louis, mais rien de plus. Vous scruteriez[4] les arrière-poches de mes gilets et mes tiroirs les plus intimes, que vous n'y trouveriez pas seulement un misérable tigre à cinq griffes[5].

– Cinq louis le pied de la princesse Hermonthis, c'est bien peu, très peu en vérité, un pied authentique, dit le marchand en hochant la tête et en imprimant à ses pru-nelles un mouvement rotatoire[6]. Allons, prenez-le, et je vous donne l'enveloppe par-dessus le marché, ajouta-t-il en le roulant dans un vieux lambeau de damas[7] ; très 150 beau, damas véritable, damas des Indes, qui n'a jamais été reteint ; c'est fort, c'est moelleux », marmottait-il[8] en promenant ses doigts sur le tissu éraillé[9] par un reste d'habitude commerciale qui lui faisait vanter un objet de si peu de valeur qu'il le jugeait lui-même digne d'être donné.

Il coula les pièces d'or dans une espèce d'aumônière[10] moyen âge pendant à sa ceinture, en répétant : « Le pied de la princesse Hermonthis servir de serre-papiers ! »

Puis, arrêtant sur moi ses prunelles phosphoriques[11], il me dit avec une voix stridente comme le miaulement d'un chat qui vient d'avaler une arête :

« Le vieux pharaon ne sera pas content ; il aimait sa fille, ce cher homme.

– Vous en parlez comme si vous étiez son contemporain ; quoique vieux, vous ne remontez cependant pas aux pyramides d'Égypte », lui répondis-je en riant du seuil de la boutique.

Je rentrai chez moi fort content de mon acquisition. Pour la mettre tout de suite à profit, je posai le pied de la divine princesse Hermonthis sur une liasse de papiers : ébauche de vers, mosaïque indéchiffrable de ratures, articles commencés, lettres oubliées et mises à la poste dans le tiroir, erreur qui arrive souvent aux gens distraits ; l'effet était charmant, bizarre et romantique.

Très satisfait de cet embellissement, je descendis dans la rue, et j'allai me promener avec la gravité convenable et la fierté d'un homme qui a sur tous les passants qu'il coudoie[12] l'avantage ineffable[13] de posséder un morceau de la princesse Hermonthis, fille de pharaon.

8. Murmurait-il.
9. Abîmé.
10. Portemonnaie.
11. Luisantes dans l'obscurité.
12. Croise.
13. Incroyable.

Je trouvai souverainement ridicules tous ceux qui ne possédaient pas, comme moi, un serre-papiers aussi notoirement[1] égyptien ; et la vraie occupation d'un homme sensé[2] me paraissait d'avoir un pied de momie sur son bureau. Heureusement la rencontre de quelques amis vint me distraire de mon engouement[3] de récent acquéreur ; je m'en allai dîner avec eux, car il m'eût été difficile de dîner avec moi.

Quand je revins le soir, le cerveau marbré de quelques veines de gris de perle[4], une vague bouffée de parfum oriental me chatouilla délicatement l'appareil olfactif[5] ; la chaleur de la chambre avait attiédi le natrum[6], le bitume[7] et la myrrhe[8] dans lesquels les *paraschites*[9] inciseurs de cadavres avaient baigné le corps de la princesse ; c'était un parfum doux quoique pénétrant, un parfum que quatre mille ans n'avaient pu faire évaporer. Le rêve de l'Égypte était l'éternité : ses odeurs ont la solidité du granit et durent autant.

Je bus bientôt à pleines gorgées dans la coupe noire du sommeil ; pendant une heure ou deux tout resta opaque, l'oubli et le néant m'inondaient de leurs vagues sombres. Cependant mon obscurité intellectuelle s'éclaira, les songes commencèrent à m'effleurer de leur vol silencieux. Les yeux de mon âme s'ouvrirent, et je vis ma chambre telle qu'elle était effectivement : j'aurais pu me croire éveillé, mais une vague perception me disait que je dormais et qu'il allait se passer quelque chose de bizarre.

L'odeur de la myrrhe avait augmenté d'intensité, et je sentais un léger mal de tête que j'attribuais fort raisonnablement à quelques verres de vin de Champagne

1. Certainement.
2. Raisonnable.
3. Ma passion.
4. Vin rosé très clair.
5. Le nez.
6. Substance médicinale utilisée dans la momification.
7. Substance à base de pétrole.
8. Résine parfumée.
9. Embaumeur de cadavres dans l'Égypte ancienne.

que nous avions bus aux dieux inconnus et à nos succès 210 futurs.

Je regardais dans ma chambre avec un sentiment d'attente que rien ne justifiait ; les meubles étaient parfaitement en place, la lampe brûlait sur la console[10], doucement estompée[11] par la blancheur laiteuse de son globe de cristal dépoli ; les aquarelles miroitaient sous leur verre de Bohême ; les rideaux pendaient languissamment[12] : tout avait l'air endormi et tranquille.

Cependant, au bout de quelques instants, cet intérieur si calme parut se troubler, les boiseries craquaient 220 furtivement[13] ; la bûche enfouie sous la cendre lançait tout à coup un jet de gaz bleu, et les disques des patères[14] semblaient des yeux de métal attentifs comme moi aux choses qui allaient se passer.

Ma vue se porta par hasard vers la table sur laquelle j'avais posé le pied de la princesse Hermonthis. Au lieu d'être immobile comme il convient à un pied embaumé depuis quatre mille ans, il s'agitait, se contractait et sautillait sur les papiers comme une grenouille effarée[15] : on l'aurait cru en contact avec une pile voltaïque ; 230 j'entendais fort distinctement le bruit sec que produisait son petit talon, dur comme un sabot de gazelle.

J'étais assez mécontent de mon acquisition, aimant les serre-papiers sédentaires[16] et trouvant peu naturel de voir les pieds se promener sans jambes, et je commençais à éprouver quelque chose qui ressemblait fort à de la frayeur.

Tout à coup je vis remuer le pli d'un de mes rideaux, et j'entendis un piétinement comme d'une personne qui

10. Petite table.
11. Adoucie.
12. Paisiblement.
13. Discrètement.
14. Portemanteaux.
15. Étonnée.
16. Qui ne bougent pas.

sauterait à cloche-pied. Je dois avouer que j'eus chaud et froid alternativement, que je sentis un vent inconnu me souffler dans le dos, et que mes cheveux firent sauter, en se redressant, ma coiffure[1] de nuit à deux ou trois pas.

Les rideaux s'entr'ouvrirent, et je vis s'avancer la figure la plus étrange qu'on puisse imaginer. C'était une jeune fille, café au lait très foncé, comme la bayadère Amani[2], d'une beauté parfaite et rappelant le type égyptien le plus pur ; elle avait des yeux taillés en amande avec des coins relevés et des sourcils tellement noirs qu'ils paraissaient bleus, son nez était d'une coupe délicate, presque grecque pour la finesse, et l'on aurait pu la prendre pour une statue de bronze de Corinthe, si la proéminence des pommettes et l'épanouissement un peu africain de la bouche n'eussent fait reconnaître, à n'en pas douter, la race hiéroglyphique des bords du Nil.

Ses bras minces et tournés en fuseau[3], comme ceux des très jeunes filles, étaient cerclés d'espèces d'emprises[4] de métal et de tours de verroterie ; ses cheveux étaient nattés en cordelettes, et sur sa poitrine pendait une idole en pâte verte que son fouet à sept branches faisait reconnaître pour l'Isis[5], conductrice des âmes ; une plaque d'or scintillait à son front, et quelques traces de fard perçaient sous les teintes de cuivre de ses joues.

Quant à son costume, il était très étrange. Figurez-vous un pagne de bandelettes chamarrées[6] d'hiéroglyphes noirs et rouges, empesées de bitume et qui semblaient appartenir à une momie fraîchement démaillotée[7].

Par un de ces sauts de pensée si fréquents dans les rêves, j'entendis la voix fausse et enrouée du marchand

1. Mon bonnet.
2. Danseuse célèbre.
3. Ronds.
4. Bracelets.
5. Déesse égyptienne.
6. Ornées.
7. Dont on a enlevé les bandelettes.

de bric-à-brac, qui répétait, comme un refrain monotone, la phrase qu'il avait dite dans sa boutique avec une intonation si énigmatique : « Le vieux pharaon ne sera pas content ; il aimait beaucoup sa fille, ce cher homme. » Particularité étrange et qui ne me rassura guère, l'apparition n'avait qu'un seul pied, l'autre jambe était rompue à la cheville.

Elle se dirigea vers la table où le pied de momie s'agitait et frétillait avec un redoublement de vitesse. Arrivée là, elle s'appuya sur le rebord, et je vis une larme germer et perler[8] dans ses yeux.

Quoiqu'elle ne parlât pas, je discernais clairement sa pensée : elle regardait le pied, car c'était bien le sien, avec une expression de tristesse coquette d'une grâce infinie ; mais le pied sautait et courait çà et là comme s'il eût été poussé par des ressorts d'acier.

Deux ou trois fois elle étendit sa main pour le saisir, mais elle n'y réussit pas. Alors il s'établit entre la princesse Hermonthis et son pied, qui paraissait doué d'une vie à part, un dialogue très bizarre dans un cophte[9] très ancien, tel qu'on pouvait le parler, il y a une trentaine de siècles, dans les syringes du pays de Ser[10] : heureusement que cette nuit-là je savais le cophte en perfection.

La princesse Hermonthis disait d'un ton de voix doux et vibrant comme une clochette de cristal : « Eh bien ! mon cher petit pied, vous me fuyez toujours, j'avais pourtant bien soin de vous. Je vous baignais d'eau parfumée, dans un bassin d'albâtre[11] ; je polissais votre talon avec la pierre ponce trempée d'huile de palmes, vos ongles étaient coupés avec des pinces d'or et polis avec de la

8. Surgir.
9. Langue égyptienne.
10. Tombes royales égyptiennes.
11. Marbre blanc.

dent d'hippopotame, j'avais soin de choisir pour vous des tatbebs[1] brodés et peints à pointes recourbées, qui faisaient l'envie de toutes les jeunes filles de l'Égypte ; vous aviez à votre orteil des bagues représentant le scarabée sacré, et vous portiez un des corps les plus légers que puisse souhaiter un pied paresseux. »

Le pied répondit d'un ton boudeur et chagrin : « Vous savez bien que je ne m'appartiens plus, j'ai été acheté et payé ; le vieux marchand savait bien ce qu'il faisait, il vous en veut toujours d'avoir refusé de l'épouser : c'est un tour qu'il vous a joué. L'Arabe qui a forcé votre cercueil royal dans le puits souterrain de la nécropole de Thèbes était envoyé par lui ; il voulait vous empêcher d'aller à la réunion des peuples ténébreux, dans les cités inférieures. Avez-vous cinq pièces d'or pour me racheter ?

– Hélas ! non. Mes pierreries, mes anneaux, mes bourses d'or et d'argent, tout m'a été volé, répondit la princesse Hermonthis avec un soupir.

– Princesse, m'écriai-je alors, je n'ai jamais retenu injustement le pied de personne : bien que vous n'ayez pas les cinq louis qu'il m'a coûtés, je vous le rends de bonne grâce ; je serais désespéré de rendre boiteuse une aussi aimable personne que la princesse Hermonthis. »

Je débitai ce discours d'un ton régence et troubadour[2] qui dut surprendre la belle Égyptienne. Elle tourna vers moi un regard chargé de reconnaissance, et ses yeux s'illuminèrent de lueurs bleuâtres. Elle prit son pied, qui, cette fois, se laissa faire, comme une femme qui va mettre son brodequin[3], et l'ajusta à sa jambe avec beaucoup d'adresse.

1. Chaussures de liège.
2. À l'ancienne mode.
3. Sa chaussure.

Cette opération terminée, elle fit deux ou trois pas **330** dans la chambre, comme pour s'assurer qu'elle n'était réellement plus boiteuse.

« Ah ! comme mon père va être content, lui qui était si désolé de ma mutilation, et qui avait, dès le jour de ma naissance, mis un peuple tout entier à l'ouvrage pour me creuser un tombeau si profond qu'il pût me conserver intacte jusqu'au jour suprême où les âmes doivent être pesées dans les balances de l'Amenthi. Venez avec moi chez mon père : il vous recevra bien, vous m'avez rendu mon pied. »

Je trouvai cette proposition toute naturelle ; j'endossai[4] une robe de chambre à grands ramages, qui me donnait un air très pharaonesque ; je chaussai à la hâte des babouches turques, et je dis à la princesse Hermonthis que j'étais prêt à la suivre. Hermonthis, avant de partir, détacha de son col la petite figurine de pâte verte et la posa sur les feuilles éparses qui couvraient la table.

« Il est bien juste, dit-elle en souriant, que je remplace votre serre-papiers. »

Elle me tendit sa main, qui était douce et froide **350** comme une peau de couleuvre, et nous partîmes. Nous filâmes pendant quelque temps avec la rapidité de la flèche dans un milieu fluide et grisâtre, où des silhouettes à peine ébauchées passaient à droite et à gauche. Un instant, nous ne vîmes que l'eau et le ciel. Quelques minutes après, des obélisques[5] commencèrent à pointer ; des pylônes[6], des rampes côtoyées[7] de sphinx se dessinèrent à l'horizon. Nous étions arrivés.

Le royaume des morts chez les Égyptiens

Chez les Égyptiens, l'âme, en quittant le corps, va dans une région souterraine appelée l'Amenthi pour y être jugée. Le jugement consiste à poser le cœur sur l'un des plateaux **340** de la balance, et une plume sur l'autre plateau. Si le cœur est plus léger que la plume, le défunt peut rejoindre le royaume des morts. Sinon, il se fait dévorer par un monstre.

---

4. Je mis.
5. Sorte de colonne surmontée d'une petite pyramide.
6. Portails des temples égyptiens.
7. Ornées de chaque côté.

La princesse me conduisit devant une montagne de granit rose, où se trouvait une ouverture étroite et basse qu'il eût été difficile de distinguer des fissures de la pierre si deux stèles[1] bariolées de sculptures ne l'eussent fait reconnaître.

Hermonthis alluma une torche et se mit à marcher devant moi. C'étaient des corridors taillés dans le roc vif ; les murs, couverts de panneaux d'hiéroglyphes et de processions allégoriques[2], avaient dû occuper des milliers de bras pendant des milliers d'années ; ces corridors, d'une longueur interminable, aboutissaient à des chambres carrées, au milieu desquelles étaient pratiqués des puits, où nous descendions au moyen de crampons ou d'escaliers en spirale ; ces puits nous conduisaient dans d'autres chambres, d'où partaient d'autres corridors également bigarrés[3] d'éperviers, de serpents roulés en cercle, de tau[4], de pedum[5], de baris[6] mystiques, prodigieux travail que nul œil vivant ne devait voir, interminables légendes de granit que les morts avaient seuls le temps de lire pendant l'éternité.

Enfin, nous débouchâmes dans une salle si vaste, si énorme, si démesurée, que l'on ne pouvait en apercevoir les bornes[7] ; à perte de vue s'étendaient des files de colonnes monstrueuses entre lesquelles tremblotaient de livides étoiles de lumière jaune : ces points brillants révélaient des profondeurs incalculables.

La princesse Hermonthis me tenait toujours par la main et saluait gracieusement les momies de sa connaissance. Mes yeux s'accoutumaient[8] à ce demi-jour crépusculaire et commençaient à discerner les objets. Je vis, assis

1. Colonnes.
2. Symboliques.
3. Ornés.
4. Lettre grecque qui a donné sa forme à un instrument sacré porté par certaines divinités égyptiennes.
5. Sceptre attribué aux dieux.
6. Embarcations qui transportent l'âme du défunt vers l'Amenthi pour y subir le jugement des morts.
7. Limites.
8. S'habituaient.

Trône de Toutankhamonn (détail), peinture, 1354-1346 av. J.-C.

sur des trônes, les rois des races souterraines : c'étaient de grands vieillards secs, ridés, parcheminés, noirs de naphte[1] et de bitume, coiffés de pschents[2] d'or, bardés de pectoraux et de hausse-cols[3], constellés de pierreries avec des yeux d'une fixité de sphinx et de longues barbes blanchies par la neige des siècles : derrière eux, leurs peuples embaumés se tenaient debout dans les poses roides[4] et contraintes de l'art égyptien, gardant éternellement l'attitude prescrite par le codex hiératique[5] ; derrière les peuples miaulaient, battaient de l'aile et ricanaient les chats, les ibis[6] et les crocodiles contemporains, rendus plus monstrueux encore par leur emmaillotage de bandelettes.

Tous les pharaons étaient là, Chéops, Chephrenès, Psammetichus, Sésostris, Amenoteph, tous les noirs dominateurs des pyramides et des syringes[7] ; sur une estrade plus élevée siégeaient le roi Chronos et Xixouthros, qui fut contemporain du Déluge, et Tubal-Caïn, qui le précéda. La barbe du roi Xixouthros avait tellement poussé qu'elle avait déjà fait sept fois le tour de la table de granit sur laquelle il s'appuyait tout rêveur et tout somnolent. Plus loin, dans une vapeur poussiéreuse, à travers le brouillard des éternités, je distinguais vaguement les soixante-douze rois préadamites[8] avec leurs soixante-douze peuples à jamais disparus.

Après m'avoir laissé quelques minutes pour jouir de ce spectacle vertigineux, la princesse Hermonthis me présenta au pharaon son père, qui me fit un signe de tête fort majestueux. « J'ai retrouvé mon pied ! J'ai retrouvé mon pied ! criait la princesse en frappant ses petites mains

1. Sorte de goudron dont on recouvrait les corps momifiés.
2. Double couronne que portaient les pharaons.
3. Bijoux.
4. Raides.
5. Représentation figée.
6. Oiseaux.
7. Tombes royales en Égypte.
8. Qui vécurent avant Adam.

l'une contre l'autre avec tous les signes d'une joie folle ; c'est monsieur qui me l'a rendu. »

Les races de Khemé, les races de Nahasi, toutes les nations noires, bronzées, cuivrées, répétaient en chœur : « La princesse Hermonthis a retrouvé son pied. » Xixouthros lui-même s'en émut. Il souleva sa paupière appesantie[9], passa ses doigts dans sa moustache, et laissa tomber sur moi son regard chargé de siècles. « Par Oms, chien des enfers, et par Tmeï, fille du Soleil et de la Vérité, voilà un brave et digne garçon, dit le pharaon en étendant vers moi son sceptre terminé par une fleur de lotus. Que veux-tu pour ta récompense ? »

Fort de cette audace que donnent les rêves, où rien ne paraît impossible, je lui demandai la main d'Hermonthis : la main pour le pied me paraissait une récompense antithétique[10] d'assez bon goût. Le pharaon ouvrit tout grands ses yeux de verre, surpris de ma plaisanterie et de ma demande.

« De quel pays es-tu et quel est ton âge ?

– Je suis Français, et j'ai vingt-sept ans, vénérable pharaon.

– Vingt-sept ans ! et il veut épouser la princesse Hermonthis, qui a trente siècles ! » s'écrièrent à la fois tous les trônes et tous les cercles des nations.

Hermonthis seule ne parut pas trouver ma requête[11] inconvenante[12].

« Si tu avais seulement deux mille ans, reprit le vieux roi, je t'accorderais bien volontiers la princesse, mais la disproportion est trop forte, et puis il faut à nos filles des maris qui durent, vous ne savez plus vous conserver : les

9. Alourdie.
10. Pleine d'oppositions.
11. Demande.
12. Déplacée.

derniers qu'on a apportés il y a quinze siècles à peine, ne
450 sont plus qu'une pincée de cendre ; regarde, ma chair est
dure comme du basalte[1], mes os sont des barres d'acier.
J'assisterai au dernier jour du monde avec le corps et la
figure que j'avais de mon vivant ; ma fille Hermonthis
durera plus qu'une statue de bronze. Alors le vent aura
dispersé le dernier grain de ta poussière, et Isis elle-même,
qui sut retrouver les morceaux d'Osiris, serait embarras-
sée de recomposer ton être. Regarde comme je suis vigou-
reux encore et comme mes bras tiennent bien », dit-il en
me secouant la main à l'anglaise, de manière à me cou-
460 per les doigts avec mes bagues.

Il me serra si fort que je m'éveillai, et j'aperçus mon
ami Alfred qui me tirait par le bras et me secouait pour
me faire lever.

« Ah ça ! enragé dormeur, faudra-t-il te faire porter au
milieu de la rue et te tirer un feu d'artifice aux oreilles ?
Il est plus de midi. Tu ne te rappelles donc pas que tu
m'avais promis de venir me prendre pour aller voir les
tableaux espagnols de M. Aguado ?

– Mon Dieu ! je n'y pensais plus, répondis-je en m'ha-
470 billant ; nous allons y aller : j'ai la permission ici sur mon
bureau. »

Je m'avançai effectivement pour la prendre ; mais
jugez de mon étonnement lorsqu'à la place du pied de
momie que j'avais acheté la veille, je vis la petite figurine
de pâte verte mise à sa place par la princesse Hermonthis !

La légende d'Osiris

Osiris est un dieu et un roi mythique de l'Égypte antique. Son règne est bienfaisant. Mais il est assassiné dans un complot organisé par son frère Seth. Son corps est découpé et éparpillé, mais il revient à la vie grâce à la puissance magique de ses sœurs Isis et Nephtys qui rassemblent les morceaux. Dieu bon et non violent, Osiris apporte la civilisation aux hommes.

1. Roche volcanique.

Pause lecture 3

Un achat inattendu l. 1 à 167 (p. 51 à 57)

 Avez-vous bien lu ?

Dans quel but le narrateur entre-t-il dans la boutique ?
- ❏ Pour acheter un objet précis.
- ❏ Pour faire la connaissance du mystérieux marchand.
- ❏ Pour passer le temps.

Une boutique de curiosités
1. Citez quelques exemples d'objets d'époques ou de pays différents présents dans la boutique.
2. Qu'est-ce qui ajoute du mystère à la boutique (éclairage, poussière...) ?

Une scène de plus en plus étrange
3. Quelle sorte d'objet cherche le narrateur ? Que voit-il qui correspond à ce qu'il souhaite ? En quoi pense-t-il que cet objet est fait ?
4. Quand comprend-il son erreur ? Qu'observe-t-il attentivement ? Qu'imagine-t-il ? Pourquoi n'éprouve-t-il aucune répulsion ?

Un marchand mystérieux
5. Quels commentaires du marchand peuvent être interprétés comme des inventions destinées à faire monter le prix ? Qu'est-ce qui constitue un avertissement ?
6. Pourquoi le marchand crée-t-il un certain malaise (comportements, réactions) ? À la fin de l'échange, citez la réplique montrant que le client perçoit l'étrangeté de ce personnage mais ne le prend pas au sérieux.

Une visite nocturne   l. 168 à 340 (p. 57 à 63)

 Avez-vous bien lu ?

Quand il rentre après son dîner, dans quel état est le narrateur ?
❏ Il est en pleine forme.
❏ Il est très fatigué et un peu saoul.
❏ Il est énervé.

Signes précurseurs

1️⃣ Quelle perception olfactive accueille le narrateur à son retour dans la chambre ? À quoi est-elle due ? Qu'évoque-t-elle ?

2️⃣ Citez les deux expressions imagées suggérant que le narrateur s'endort. Et cependant, quels sens semblent toujours en éveil ? Qu'est-ce qui annonce un événement bizarre ?

L'irruption de l'étrange

3️⃣ Des lignes 212 à 224, quels sont les deux champs lexicaux qui s'opposent ? Qu'arrive-t-il au monde réel ?

4️⃣ Citez les verbes qui indiquent les mouvements du pied de momie et les comparaisons empruntées au registre animal. Que ressent le narrateur ?

L'apparition de la princesse Hermonthis

5️⃣ Par qui la jeune fille est-elle observée ? Dans ce portrait, relevez ce qui révèle son origine, sa beauté, sa jeunesse, le lieu dont elle s'est échappée.

6️⃣ Que reproche la princesse à son pied ? Qui lui répond ? Qu'apprend-on sur le vieux marchand ?

7️⃣ Pour quelles raisons le narrateur intervient-il ? Quelle en est la conséquence ?

Un voyage dans l'espace et le temps | l. 333 à 475 (p. 63 à 68)

 ### *Avez-vous bien lu ?*

Quelle est la réponse du pharaon quand le narrateur lui demande la main de sa fille ?

❏ Il refuse parce qu'il le trouve trop vieux.

❏ Il refuse parce qu'il le trouve trop jeune.

❏ Il accepte en raison des services rendus.

Vers les pyramides

1 Avant de partir, comment la princesse marque-t-elle sa reconnaissance au narrateur ?

2 De l'invitation à l'arrivée au pied des pyramides, indiquez ce qui traduit la magie du rêve (impressions, écoulement du temps, notations visuelles).

Au pays des morts

3 Comment sont suggérées la longueur, la profondeur et la difficulté de l'itinéraire suivi dans la pyramide ?

4 Que découvre ensuite le narrateur ? Pourquoi l'attitude de la princesse l'empêche-t-il d'être effrayé ? Citez une phrase qui donne au récit un ton léger et amusant.

De la présentation au pharaon à la chute du récit

5 Quand elle se trouve devant le pharaon, son père, qu'annonce Hermonthis ? Sur quel ton ?

6 Par qui le narrateur est-il ramené à la réalité ?

Vers l'expression

Vocabulaire

La description du pied de momie utilise des comparaisons : « [L]es doigts étaient fins, délicats, terminés *par des ongles parfaits, purs et transparents comme des agates.* » (l. 111-113) Sur ce modèle, faites deux phrases évoquant les caractéristiques d'un beau visage à l'aide de comparaisons qui désignent des pierres ou des matériaux précieux. Vous puiserez dans la liste suivante : *agate – albâtre – aigue-marine – améthyste – bronze – diamant – ébène – jade – ivoire – lapis-lazuli – nacre – or – rubis – topaze – turquoise.* Chacun de ces mots évoque une couleur et un éclat particulier.

À vous de jouer

✎ Transposez un récit

Transposez le récit à l'époque contemporaine avec une variante : au XXIᵉ siècle, un(e) touriste prend l'avion pour l'Égypte et observe ce qui se passe avant l'embarquement. Après le décollage, il (elle) s'endort et se réveille dans l'Égypte ancienne, au moment de la construction des pyramides. Quelqu'un le (la) secoue à l'atterrissage. Il (elle) se réveille mais tient dans la main un objet appartenant à son rêve. Le récit sera écrit à la première personne du singulier.

✎ Faites une recherche

Faites une recherche sur Internet sur l'Égypte ancienne. Choisissez l'un des thèmes suivants et indiquez en quelques lignes le résultat de votre recherche.
a. l'organisation d'une pyramide – **b.** les objets et les animaux symboliques – **c.** le rituel de la mort – **d.** les principaux dieux et leurs attributions.

Du texte à l'image

Observez la fresque ➜ voir dossier images p. III

Portrait de la reine Néfertari, grande épouse royale de Ramsès II (1290-1224 av. J.-C.), tombe de Néfertari, fresque de l'annexe de l'antichambre, Thèbes.

1 Dans le portrait de Néfertari, qu'est-ce qui est vu de face ? De profil ?

2 Comment la vie et le mouvement sont-ils suggérés ?

3 Que porte la reine en guise de coiffe ? Que suggère celle-ci ? Pour préciser votre réponse, faites une recherche sur Internet sur le dieu Râ.

4 Quelles sont les couleurs utilisées ? Comment sont elles réparties ?

5 Quelle pouvait être, selon vous, la fonction de cette image dans l'Égypte antique ?

Dante Gabriel Rossetti (1828-1882), *Miss Burton*, 1865,
huile sur toile (16 x 22,5 cm), Londres.

Le Portrait ovale

d'Edgar Allan Poe

1842

Traduction de Charles Baudelaire

Texte intégral

Qui sont les personnages ?

Le narrateur

Blessé et fiévreux, il se refugie dans un château. Il passe la nuit dans une chambre ornée de nombreux tableaux et trouve un petit livre qui commente chacun d'eux.

➤ *Que va-t-il découvrir ?*

La jeune femme

Lors de son mariage, elle est toute jeune, particulièrement jolie et très joyeuse. Elle aime le peintre, son époux, mais éprouve un sombre pressentiment et considère la peinture comme une rivale.

➤ *Sa peur est-elle totalement imaginaire ?*

Le peintre

Cet homme mystérieux est amoureux de sa jeune et belle épouse, mais totalement centré sur lui-même et son art.

➤ *Fera-t-il le bonheur ou le malheur de sa femme ?*

Le château dans lequel mon domestique s'était avisé[1] de pénétrer de force, plutôt que de me permettre, déplorablement blessé comme je l'étais, de passer une nuit en plein air, était un de ces bâtiments, mélange de grandeur et de mélancolie, qui ont si longtemps dressé leurs fronts sourcilleux[2] au milieu des Apennins[3], aussi bien dans la réalité que dans l'imagination de *mistress* Radcliffe[4]. Selon toute apparence, il avait été temporairement[5] et tout récemment abandonné. Nous nous installâmes dans une des chambres les plus petites et les moins somptueusement meublées. Elle était située dans une tour écartée du bâtiment. Sa décoration était riche, mais antique et délabrée. Les murs étaient tendus de tapisseries et décorés de nombreux trophées héraldiques[6] de toute forme, ainsi que d'une quantité vraiment prodigieuse de peintures modernes, pleines de style, dans de riches cadres d'or d'un goût arabesque[7]. Je pris un profond intérêt – ce fut peut-être mon délire qui commençait qui en fut cause – je pris un profond intérêt à ces peintures qui étaient suspendues non seulement sur les faces principales des murs, mais aussi dans une foule de recoins que la bizarre architecture du château rendait inévitables ; si bien que j'ordonnai à Pedro de fermer les lourds volets de la chambre – puisqu'il faisait déjà nuit –, d'allumer un grand candélabre[8] à plusieurs branches placé près de son chevet, et d'ouvrir tout grands les rideaux de velours noir garnis de crépines[9] qui entouraient le lit. Je désirais que cela fût ainsi, pour que je pusse au moins, si je ne pouvais pas dormir, me consoler alternativement[10] par la contemplation de ces peintures et par la lecture d'un petit

10

20

30

1. Avait décidé.
2. Sombres.
3. Chaîne de montagnes qui traverse l'Italie du nord au sud.
4. Romancière anglaise (1764-1822) à qui l'on doit quelques-uns des premiers romans fantastiques.
5. Pour une courte période.
6. Blasons ou écussons représentant les armoiries d'une famille noble.
7. Oriental.
8. Chandelier.
9. Décorations en relief.
10. En passant de l'un à l'autre.

Les lieux dans les nouvelles fantastiques

Le cadre des nouvelles fantastiques est soit un lieu où il est difficile de trouver son chemin (montagnes, forêts, souterrains) soit, au contraire, un univers familier et fermé qui prend un caractère étrange en raison de l'éclairage, du moment, de la présence d'objets inattendus qui parfois s'animent.

volume que j'avais trouvé sur l'oreiller et qui en contenait l'appréciation et l'analyse.

Je lus longtemps – longtemps – ; je contemplai religieusement, dévotement[1] ; les heures s'envolèrent, rapides et glorieuses, et le profond minuit arriva.

La position du candélabre me déplaisait, et, étendant la main avec difficulté pour ne pas déranger mon valet assoupi, je plaçai l'objet de manière à jeter les rayons en plein sur le livre. Mais l'action produisit un effet absolument inattendu. Les rayons des nombreuses bougies (car il y en avait beaucoup) tombèrent alors sur une niche de la chambre que l'une des colonnes du lit avait jusque-là couverte d'une ombre profonde. J'aperçus dans une vive lumière une peinture qui m'avait d'abord échappé. C'était le portrait d'une jeune fille déjà mûrissante et presque femme. Je jetai sur la peinture un coup d'œil rapide, et je fermai les yeux. Pourquoi ? je ne le compris pas moi-même tout d'abord. Mais, pendant que mes paupières restaient closes[2], j'analysai rapidement la raison qui me les faisait fermer ainsi. C'était un mouvement involontaire pour gagner du temps et pour penser, – pour m'assurer que ma vue ne m'avait pas trompé –, pour calmer et préparer mon esprit à une contemplation plus froide et plus sûre. Au bout de quelques instants, je regardai de nouveau la peinture fixement.

Je ne pouvais pas douter, quand même je l'aurais voulu, que je n'y visse alors très nettement ; car le premier éclair du flambeau sur cette toile avait dissipé la stupeur rêveuse dont mes sens étaient possédés, et m'avait appelé tout d'un coup à la vie réelle.

1. Avec un respect profond.
2. Fermées.

Le portrait, je l'ai déjà dit, était celui d'une jeune fille. C'était une simple tête, avec des épaules, le tout dans ce style qu'on appelle, en langage technique, style de *vignette*[3] ; beaucoup de la manière de Sully[4] dans ses têtes de prédilection[5]. Les bras, le sein et même les bouts des cheveux rayonnants, se fondaient insaisissablement dans l'ombre vague, mais profonde, qui servait de fond à l'ensemble. Le cadre était ovale, magnifiquement doré et guilloché[6] dans le goût moresque[7]. Comme œuvre d'art, on ne pouvait rien trouver de plus admirable que **70** la peinture elle-même. Mais il se peut bien que ce ne fût ni l'exécution de l'œuvre, ni l'immortelle beauté de la physionomie qui m'impressionna si soudainement et si fortement. Encore moins devais-je croire que mon imagination, sortant d'un demi-sommeil, eût pris la tête pour celle d'une personne vivante. Je vis tout d'abord que les détails du dessin, le style de vignette et l'aspect du cadre auraient immédiatement dissipé[8] un pareil charme[9], et m'auraient préservé de toute illusion même momentanée. Tout en faisant ces réflexions, et très vivement, je **80** restai, à demi étendu, à demi assis, une heure entière peut-être, les yeux rivés à ce portrait. À la longue, ayant découvert le vrai secret de son effet, je me laissai retomber sur le lit. J'avais deviné que le *charme* de la peinture était une expression vitale absolument adéquate[10] à la vie elle-même, qui d'abord m'avait fait tressaillir, et finalement m'avait confondu[11], subjugué[12], épouvanté. Avec une terreur profonde et respectueuse, je replaçai le candélabre dans sa position première.

3. Tableau de dimensions réduites.
4. Peintre américain (1783-1872).
5. Qu'il représente souvent.
6. Avec un motif décoratif de lignes entrecroisées.
7. Arabe.
8. Fait disparaître.
9. Magie.
10. Semblable.
11. Rempli de trouble.
12. Envoûté.

Ayant ainsi dérobé à ma vue la cause de ma profonde agitation, je cherchai vivement le volume qui contenait l'analyse des tableaux et leur histoire. Allant droit au numéro qui désignait le portrait ovale, j'y lus le vague et singulier[1] récit qui suit :

« C'était une jeune fille d'une très rare beauté, et qui n'était pas moins aimable que pleine de gaieté. Et maudite fut l'heure où elle vit, et aima, et épousa le peintre. Lui, passionné, studieux, austère[2], et ayant déjà trouvé une épouse dans son Art ; elle, une jeune fille d'une très rare beauté, et non moins aimable que pleine de gaieté : rien que lumière et sourires, et la folâtrerie[3] d'un jeune faon, aimant et chérissant toutes choses ; ne haïssant que l'Art qui était son rival, ne redoutant que la palette et les brosses[4], et les autres instruments fâcheux qui la privaient de la figure de son adoré. Ce fut une terrible chose pour cette dame que d'entendre le peintre parler du désir de peindre sa jeune épouse. Mais elle était humble et obéissante, et elle s'assit avec douceur pendant de longues semaines dans la sombre et haute chambre de la tour, où la lumière filtrait sur la pâle toile seulement par le plafond. Mais lui, le peintre, mettait sa gloire dans son œuvre, qui avançait d'heure en heure et de jour en jour. Et c'était un homme passionné, et étrange, et pensif, qui se perdait en rêveries ; si bien qu'il ne *voulait* pas voir que la lumière qui tombait si lugubrement[5] dans cette tour isolée desséchait la santé et les esprits de sa femme, qui languissait[6] visiblement pour tout le monde, excepté[7] pour lui. Cependant, elle souriait toujours, et toujours sans se plaindre, parce qu'elle voyait que le peintre (qui

1. Étrange.
2. Sévère.
3. Légèreté.
4. Pinceaux larges.
5. De façon sinistre.
6. Qui s'épuisait
   et s'affaiblissait.
7. Sauf.

avait un grand renom) prenait un plaisir vif et brûlant 120
dans sa tâche[8], et travaillait nuit et jour pour peindre
celle qui l'aimait si fort, mais qui devenait de jour en
jour plus languissante et plus faible. Et, en vérité, ceux
qui contemplaient le portrait parlaient à voix basse de
sa ressemblance, comme d'une puissante merveille et
comme d'une preuve non moins grande de la puissance
du peintre que de son profond amour pour celle qu'il pei-
gnait si miraculeusement bien. Mais, à la longue, comme
la besogne[9] approchait de sa fin, personne ne fut plus
admis dans la tour ; car le peintre était devenu fou par 130
l'ardeur de son travail, et il détournait rarement ses yeux
de la toile, même pour regarder la figure de sa femme.
Et il ne *voulait* pas voir que les couleurs qu'il étalait sur
la toile étaient *tirées* des joues de celle qui était assise
près de lui. Et, quand bien des semaines furent passées et
qu'il ne restait plus que peu de chose à faire, rien qu'une
touche sur la bouche et un glacis[10] sur l'œil, l'esprit de
la dame palpita encore comme la flamme dans le bec
d'une lampe[11]. Et alors la touche fut donnée, et alors le
glacis fut placé ; et pendant un moment le peintre se tint 140
en extase devant le travail qu'il avait terminé, mais, une
minute après, comme il contemplait encore, il trembla
et il fut frappé d'effroi ; et, criant d'une voix éclatante :
"En vérité, c'est la *Vie* elle-même !" il se retourna brusquement pour regarder sa bien-aimée : elle était morte ! »

8. Son travail.
9. Le travail.
10. Couches de peinture transparente pour pro-duire un effet de profon-deur sur le tableau.
11. Partie de la lampe où se produit la combustion.

Louis Legrand (1863-1951), illustration pour *Le Portrait ovale*, 1897, BNF, Paris.

Pause lecture 4

Un refuge improvisé | l. 1 à 35 (p. 77 à 78)

 Avez-vous bien lu ?

De quelle demeure s'agit-il ?

❏ De la demeure familiale du narrateur.

❏ D'un château fort délabré.

❏ D'un bâtiment étrange abandonné depuis peu.

Le narrateur

1 Pourquoi pénètre-t-il dans le château ? Quel indice permet de situer sa place dans la société ?

2 Selon vous, d'où viennent ses blessures ? Quelles conséquences ont-elles sur sa perception de la réalité ?

Le château

3 Où le château est-il situé ? Qu'évoque son aspect extérieur ? Dans quel genre de roman pourrait-il figurer ?

4 Quelle chambre le narrateur a-t-il choisie (situation, ameublement, décoration) ?

Les premières heures de la nuit

5 Quels ordres précis le narrateur a-t-il donnés avant de se mettre au lit ? Quelle atmosphère est ainsi créée ? Comment compte-t-il occuper son temps ?

6 Citez les termes et les procédés qui suggèrent une durée importante et ininterrompue. Le narrateur a-t-il conscience de l'écoulement du temps ? Pour quelles raisons, à votre avis ?

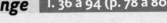
L'irruption de l'étrange l. 36 à 94 (p. 78 à 80)

 Avez-vous bien lu ?

Comment le narrateur découvre-t-il subitement un nouveau tableau ?

❏ Il rêve.

❏ Il modifie l'éclairage de la pièce.

❏ La fièvre due à sa blessure provoque une hallucination.

Les circonstances

1 Quelle heure est-il ? Dans quel univers peut-on basculer à ce moment précis ?

2 Quelles sont les deux raisons qui poussent le narrateur à déplacer lui-même le candélabre ? Que provoque ce changement ?

Le choc visuel

3 Que fait le narrateur dès qu'il aperçoit le portrait de la jeune femme ? Selon vous, pourquoi ? Comment s'efforce-t-il de faire appel à sa raison ?

4 Quelles sont les étapes dans l'évocation du tableau ? À travers les yeux de qui est-il décrit ? Le lecteur est-il sûr que le narrateur n'est pas victime d'une illusion ?

Le secret du portrait

5 Selon le narrateur, quel est le secret du tableau ? Citez la phrase qui traduit sa découverte et expliquez-la.

6 Que fait-il ensuite ? Pour quelle raison ? Qu'éprouve-t-il ?

Un cruel et douloureux destin l. 95 à 145 (p. 80 à 81)

 Avez-vous bien lu ?

Pourquoi le peintre oublie-t-il de regarder sa jeune épouse ?
- ❏ Parce qu'il ne l'aime plus.
- ❏ Parce qu'il est inconnu et ne pense qu'à devenir célèbre.
- ❏ Parce qu'il veut créer une œuvre qui soit la vie elle-même.

Deux êtres que tout oppose

1 Montrez que le peintre et sa femme sont très différents.

2 À quelle personne est écrit le récit ? Le narrateur est-il connu ?
Relevez une de ses interventions dans le récit.

Le projet du peintre

3 Pourquoi la jeune femme déteste-t-elle la palette et les brosses de son mari ?
Qu'éprouve-t-elle quand son mari décide de faire son portrait ?
Pourquoi ne s'oppose-t-elle pas à ce projet ?

4 Où se passent les séances de pose ? Quelles en sont les conséquences ?
Citez les termes qui traduisent un écart grandissant entre les deux époux.

La mort du modèle

5 Pourquoi l'état de la jeune femme s'aggrave-t-il ? Qu'est-ce qui fait penser
que le peintre devient fou ?

6 Quelle comparaison suggère les derniers moments de vie de la jeune femme ?
Que ne raconte pas la fin de la nouvelle ?

Vers l'expression

Vocabulaire

Recopiez ces phrases en remplaçant les mots en gras par un synonyme.

a. Parfois, mes cousins sont **charmants** mais leur humeur change souvent.

b. Dans la légende du roi Arthur, Morgane est dotée de **charmes** puissants.

c. Nichée au milieu des **charmes** et des bouleaux, cette maison est isolée.

d. La publicité nous **charme** en associant nos vedettes préférées à de simples objets.

À vous de jouer

 Organisez vos arguments

À l'oral, développez une interprétation naturelle ou surnaturelle de la mort de la jeune femme. Aidez-vous des arguments suivants.

Mort naturelle	• Dégradation progressive de la santé causée par l'enfermement, la privation de mouvement, puis par la solitude, le manque de nourriture et de sommeil. • Folie du peintre qui ne perçoit plus la réalité.
Intervention du surnaturel	• Choc dû au fait qu'on croit voir une personne vivante quand on découvre le tableau. • Conditions étranges dans lesquelles celui-ci a été peint. • Raison mystérieuse pour laquelle on a caché le tableau.

Du texte à l'image

Observez la photographie → voir dossier images p. IV

Harry Potter à l'école des sorciers, image du film de Chris Columbus, 2001.

1 Où se trouve-t-on ? Qu'est-ce qui attire immédiatement le regard ?

2 Observez précisément les tableaux et les autres éléments du décor. Quel est l'effet produit ?

3 Où se trouve le photographe ? Dans quelle direction oriente-t-il son objectif ?

4 Comment sont répartis les éclairages ? Que mettent-ils en valeur ?

5 Qu'éprouve le spectateur devant ce lieu étrange ?

Questions sur...

Quatre nouvelles fantastiques

1. Le narrateur

La Main

1 Qui raconte l'histoire ? Pourquoi ce narrateur est-il un témoin privilégié des événements ?

2 À quels moments éprouve-t-il l'angoisse du surnaturel ?

La Tresse noire

3 Quels liens unissent le narrateur au personnage qu'il rencontre ?

4 À quel moment le narrateur devient-il une victime ?

5 Par qui est-il sauvé ?

Le Pied de momie

6 Pourquoi le narrateur est-il si joyeux d'avoir acheté un pied de momie ?

7 Dans quelle aventure se trouve-t-il entraîné ?

Le Portrait ovale

8 Où se trouve le narrateur ?

9 Comment apprend-il l'histoire du tableau ovale ?

Dans les quatre nouvelles

10 À quelle personne se fait le récit ? Pourquoi, à votre avis ?

2. Les caractéristiques de la nouvelle fantastique

Le sentiment d'étrangeté

11 Dans quelles nouvelles l'aventure étrange est-elle liée à l'arrivée ou au retour d'un personnage ?

12 Citez les nouvelles où ce sont les lieux qui créent une impression étrange.

L'irruption du surnaturel

13 Quels éléments inanimés donnent l'impression de prendre vie dans chacune des nouvelles ?

14 Dans chacun des cas, s'agit-il vraiment d'objets ? Pourquoi ?

15 Quels sentiments provoque l'animation d'un élément inanimé dans les nouvelles ?

L'épilogue

16 Formulez brièvement deux interprétations opposées (naturelle / surnaturelle) de ce qui s'est passé dans *Le Pied de momie*.

17 Faites de même pour la mort de l'Anglais dans *La Main*.

18 À partir de ces exemples, indiquez en quelques mots ce qui caractérise la chute d'une nouvelle fantastique.

Johann Heinrich Füssli (1741-1825), *Le Cauchemar*, huile sur toile, Goethe Museum, Francfort.

Après la lecture

➾ Genre
La nouvelle fantastique

➾ Thème
Quand l'étrange surgit...

La nouvelle fantastique

◆ De l'origine au XIXᵉ siècle

De l'italien *novela*, la nouvelle désigne **un récit court** qui présente **un nombre limité de personnages**. Le genre apparaît en Italie au XIVᵉ siècle et se répand surtout à partir du XIXᵉ siècle, en France, dans de nombreux pays européens et aux États-Unis. Sa diffusion est facilitée par le développement de la presse qui cherche à séduire le lecteur par de courts récits qui le tiennent en haleine. Beaucoup d'auteurs écrivent des nouvelles. Dès 1839, aux États-Unis, Edgar Allan Poe devient rédacteur du *Burton's Gentleman's Magazine* et y publie certaines de ses plus célèbres nouvelles fantastiques (*La Chute de la maison Usher, Le Diable dans le beffroi...*). En France, de 1880 à 1890, Maupassant écrit pour les journaux plus de 300 nouvelles réalistes ou fantastiques.

« *Réaliste ou fantastique ?* »

◆ Nouvelle réaliste et nouvelle fantastique

La nouvelle réaliste part souvent d'un événement réel et cherche à créer l'impression du vrai chez le lecteur.

À l'opposé, **la nouvelle fantastique** fait surgir dans le quotidien un événement étrange qui perturbe la raison. Elle provoque le doute et fait hésiter le lecteur entre interprétation naturelle et surnaturelle.

Il faut toutefois nuancer cette opposition car **le début d'une nouvelle fantastique est souvent réaliste**. Dans *La Tresse Noire* d'Erckmann-Chatrian, le lecteur entre en quelques lignes dans l'univers d'un habitant de Charleville qui songe à sa jeunesse et à un vieil ami. *La Main* de Maupassant nous plonge dans l'ambiance d'un salon du XIXe siècle. Alors que l'assemblée se passionne pour une affaire criminelle non résolue, un juge d'instruction va évoquer des événements beaucoup plus étranges auxquels il a été mêlé.

◆ L'organisation d'une nouvelle fantastique

Le début d'une nouvelle fantastique est marqué par des **indices annonciateurs** de l'événement étrange qui perturbe la réalité et précipite l'action. Différentes variations sont possibles. Le récit fantastique peut s'inscrire dans un récit cadre où se greffe un récit secondaire, comme dans *La Main* de Maupassant.

Parfois, la nouvelle présente un changement de narrateur. Ainsi, *Le Portrait ovale* d'Edgar Poe met en relation deux récits : le premier, écrit à la première personne, a pour narrateur un homme blessé qui a trouvé refuge dans un château abandonné. Le second, écrit à la troisième personne, correspond à ce qui est raconté dans le petit livre qu'il découvre et donne la clé du mystère. Le plus souvent, dans une nouvelle fantastique, la narration est menée à la première personne : **le *je*** est à la fois **narrateur et personnage de l'histoire.**

◆ Aux frontières de la raison

Certaines nouvelles fantastiques jouent sur l'ambiguïté entre des événements d'origine naturelle ou surnaturelle, mais à la fin, privilégient une interprétation rationnelle. C'est le cas des dénouements où le lecteur comprend qu'il s'agissait tout simplement d'un rêve. *Le Pied de momie*

« *Un drôle de rêve...* »

de Théophile Gautier en serait un bon exemple, si, à son réveil, le narrateur ne trouvait le bijou, cadeau d'outre-tombe, laissé par la princesse égyptienne. Le mystère reste donc entier...

Quand l'étrange surgit...

◆ Le sentiment d'étrangeté

Il intervient quand le quotidien perd son caractère familier et ordinaire. C'est souvent **une perception vague et confuse.** L'expression du visage ou les agissements bizarres d'un personnage annoncent un événement irrationnel, sans que le narrateur en ait vraiment conscience.

« Un quotidien pas ordinaire ? »

Dans *La Tresse noire* d'Erckmann-Chatrian, Théodore, le narrateur, constate que Georges, son ami de jeunesse, le reconnaît, mais que son visage reste figé, sans sourire. Il s'en étonne, mais ne cherche pas à en savoir davantage. Il arrive parfois que le sentiment d'étrangeté soit brutal. Dans *La Main* de Maupassant, il tient à un **choc visuel** : une main d'homme desséchée, noire et sale est exposée sur un carré de velours rouge, lui-même fixé sur une grande tenture de soie noire. Le bras coupé est coincé dans un anneau de fer retenu par une chaîne comme si la main pouvait s'échapper. C'est ce que découvre le juge Bermutier quand il pénètre chez l'Anglais qui l'a invité.

◆ De l'étrange au surnaturel : l'animation des objets

Narrateur et personnages sont **témoins et parfois victimes** de manifestations surnaturelles. Dans *La Tresse noire*, à peine le narrateur a-t-il consenti à mettre à son bras une lourde tresse que celle-ci pénètre dans son corps jusqu'à l'étouffer. Un objet caché peut prendre vie s'il est mis en lumière. C'est le cas du tableau dans *Le Portrait ovale*. L'homme blessé qui le découvre s'en protège d'abord en fermant les yeux, puis en le replongeant dans l'ombre.

En l'absence de témoin, **l'animation d'un objet** (ou d'un faux objet comme un débris humain) **reste un événement inexplicable.** Dans *La Main* de Maupassant, non seulement l'Anglais est retrouvé mort, étranglé, mais la main fixée au mur a disparu. Le médecin, homme de science qui examine corps, ne peut s'empêcher de déclarer : « On dirait qu'il a été étranglé par un squelette. »

◆ Des tonalités variées

Le sentiment d'étrangeté peut aller jusqu'à l'angoisse ou être atténué par la fantaisie et l'humour.

Chez Maupassant et Erckmann-Chatrian, l'animation soudaine d'une main ou d'une tresse de cheveux crée un effroi d'autant plus violent que les auteurs utilisent des comparaisons ou des métaphores qui renvoient à des animaux. Dans le rêve du juge Bermutier, « l'horrible main » court « comme un scorpion ou une araignée » et le « hideux débris » vient « galoper » autour de la chambre. Dans *La Tresse noire,* c'est un « serpent » dont le narrateur sent « les anneaux froids couler lentement sur sa nuque ».

Dans *Le Pied de momie,* Théophile Gautier évite le registre macabre que pourrait créer l'évocation des pharaons momifiés et met l'accent sur les manifestations de la vie : la princesse arrive « à cloche-pied », remet son pied comme on enfile une chaussure, puis parvenue à la pyramide « salue gracieusement les momies de sa connaissance » avant de manifester « les signes d'une joie folle » devant le pharaon, son père. Quand le jeune Français

> **« De l'étrangeté à l'angoisse »**

demande la main de la princesse, les morts éclatent de rire et le lecteur a l'impression que les momies ne manquent pas d'humour.

La nouvelle fantastique est donc **un univers où tout est possible** : en lisant des récits qui présentent des objets qui prennent vie, le lecteur tremblera ou sourira. À lui de choisir s'il accepte d'entrer dans un monde surnaturel ou s'il préfère rester dans le monde réel.

Au Diable Vauvert, chromolithographie, étiquette pour un ouvrage illustrant les expressions françaises, vers 1910, coll. privée.

Gérard de Nerval

Le Monstre vert

1852

Texte intégral

Découvrez une autre nouvelle fantastique !

Gérard de Nerval (1808-1855)

Fils d'un médecin militaire, Gérard Labrunie, dit Gérard de Nerval, perd sa mère à l'âge de deux ans. Recueilli par sa famille maternelle, l'enfant passe quelques années heureuses dans le Valois puis effectue ses études à Paris où il a pour camarade de collège Théophile Gautier. Plus tard, il rejoint le groupe des écrivains romantiques. Il voyage en Italie puis en Égypte. Son univers est marqué par l'hésitation entre la réalité et le rêve.

LE CHÂTEAU DU DIABLE

Je vais parler d'un des plus anciens habitants de Paris ; on l'appelait autrefois le *diable Vauvert*. D'où est résulté[1] le proverbe : « C'est au diable Vauvert ![2] Allez au diable Vauvert ! » C'est-à-dire : « Allez vous… promener aux Champs-Élysées[3]. » Les portiers disent généralement : « C'est au diable aux vers ! » pour exprimer un lieu qui est fort loin. Cela signifie qu'il faut payer très cher la commission dont on les charge. Mais c'est là, en outre, une locution vicieuse[4] et corrompue[5], comme plusieurs autres familières au peuple parisien.

Le diable Vauvert est essentiellement un habitant de Paris, où il demeure depuis bien des siècles, si l'on en croit les historiens. Sauval, Félibien, Sainte-Foix et Dulaure ont raconté longuement ses escapades. Il semble d'abord avoir habité le château de Vauvert, qui était situé au lieu occupé aujourd'hui par le joyeux bal de la Chartreuse, à l'extrémité du Luxembourg et en face des allées de l'Observatoire, dans la rue d'Enfer[6]. Ce château, d'une triste renommée, fut démoli en partie et les ruines devinrent une dépendance d'un couvent de chartreux[7], dans lequel mourut, en 1414, Jean de La Lune, neveu de l'anti-pape Benoît XIII. Jean de La Lune avait été soupçonné d'avoir des relations avec un certain diable, qui peut-être était l'esprit familier de l'ancien château de Vauvert, chacun de ces édifices féodaux[8] ayant le sien, comme on le sait. Les historiens ne nous ont rien laissé de précis sur cette phase intéressante.

Benoît XIII, « l'antipape »

Le pape Benoît XIII (1329-1423) est appelé « antipape » car il régnait en Avignon parallèlement à l'autre pape qui se trouvait à Rome. Son vrai nom était Pedro Martínez de Luna ou encore Pierre de Lune, en français. Nerval traduit familièrement ce patronyme par « de La Lune ».

1. Venu.
2. C'est très loin !
3. À l'époque de Nerval, les Champs-Élysées étaient une promenade dans la campagne proche de Paris.
4. Fausse.
5. Détournée de son sens.
6. Lieux parisiens bien réels.
7. Moines.
8. Châteaux forts.

Autre lecture

Le diable Vauvert fit de nouveau parler de lui à l'époque de Louis XIII. Pendant fort longtemps on avait entendu, tous les soirs, un grand bruit dans une maison faite des débris de l'ancien couvent, et dont les propriétaires étaient absents depuis plusieurs années, ce qui effrayait beaucoup les voisins. Ils allèrent prévenir le lieutenant de police, qui envoya quelques archers[1]. Quel fut l'étonnement de ces militaires, en entendant un cliquetis de verres, mêlé de rires stridents[2] ! On crut d'abord que c'étaient des faux-monnayeurs[3] qui se livraient à une orgie[4], et jugeant de leur nombre d'après l'intensité du bruit, on alla chercher du renfort. Mais on jugea encore que l'escouade[5] n'était pas suffisante : aucun sergent ne se souciait de[6] guider ses hommes dans ce repaire, où il semblait qu'on entendît le fracas[7] de toute une armée.

Il arriva enfin, vers le matin, un corps de troupes suffisant ; on pénétra dans la maison. On n'y trouva rien. Le soleil dissipa les ombres. Toute la journée, l'on fit des recherches, puis l'on conjectura[8] que le bruit venait des catacombes[9], situées, comme on sait, sous ce quartier. On s'apprêtait[10] à y pénétrer ; mais pendant que la police prenait ses dispositions, le soir était venu de nouveau, et le bruit recommençait plus fort que jamais.

Cette fois personne n'osa plus redescendre, parce qu'il était évident qu'il n'y avait rien dans la cave que des bouteilles, et qu'alors il fallait bien que ce fût le diable qui les mît en danse. On se contenta d'occuper les abords de la rue et de demander des prières au clergé[11]. Le clergé fit une foule d'oraisons[12], et l'on envoya même

1. Hommes à l'origine munis d'un arc, au service de la police.
2. Aigus.
3. Personnes qui fabriquent de la fausse monnaie.
4. Fête.
5. La troupe armée.
6. Désirait.
7. Vacarme.
8. Fit l'hypothèse.
9. Souterrains utilisés depuis l'Antiquité comme cimetière.
10. Se préparait.
11. Prêtres.
12. Prières.

de l'eau bénite avec des seringues par le soupirail de la cave. Le bruit persistait toujours.

Le sergent

Pendant toute une semaine, la foule des Parisiens ne cessait d'obstruer[13] les abords du faubourg, en s'effrayant et demandant des nouvelles. Enfin, un sergent de la prévôté[14], plus hardi que les autres, offrit de pénétrer dans la cave maudite, moyennant une pension réversible[15], en cas de décès, sur une couturière nommée Margot.

C'était un homme brave et plus amoureux que crédule[16]. Il adorait cette couturière, qui était une personne bien nippée[17] et très économe, on pourrait même dire un peu avare, et qui n'avait point voulu épouser un simple sergent, privé de toute fortune. Mais en gagnant la pension, le sergent devenait un autre homme.

Encouragé par cette perspective, il s'écria qu'il ne croyait ni à Dieu ni à diable et qu'il aurait raison de ce bruit.

« À quoi donc croyez-vous ? lui dit un de ses compagnons.

– Je crois, répondit-il, à M. le lieutenant criminel et à M. le prévôt de Paris[18]. »

C'était trop dire en peu de mots.

Il prit son sabre dans ses dents, un pistolet à chaque main, et s'aventura dans l'escalier. Le spectacle le plus extraordinaire l'attendait en touchant le sol de la cave. Toutes les bouteilles se livraient à une sarabande

13. De boucher.
14. Police municipale.
15. À verser.
16. Naïf.
17. Habillée.
18. Le lieutenant criminel est le plus haut magistrat de la ville, le prévôt de Paris, le représentant du roi.

Autre lecture

éperdue[1], et formaient les figures les plus gracieuses. Les cachets verts représentaient les hommes, et les cachets rouges représentaient les femmes. Il y avait même là un orchestre établi sur les planches à bouteilles. Les bouteilles vides résonnaient comme des instruments à vent, les bouteilles cassées comme des cymbales et des triangles, et les bouteilles fêlées rendaient quelque chose de l'harmonie pénétrante des violons.

Le sergent, qui avait bu quelques chopines[2] avant d'entreprendre l'expédition, ne voyant là que des bouteilles, se sentit fort rassuré, et se mit à danser lui-même par imitation. Puis, de plus en plus encouragé par gaieté et le charme du spectacle, il ramassa une aimable bouteille à long goulot d'un bordeaux pâle, comme il paraissait, et soigneusement cachetée[3] de rouge, et la pressa amoureusement sur son cœur. Des rires frénétiques partirent de tous côtés : le sergent, intrigué, laissa tomber la bouteille, qui se brisa en mille morceaux.

La danse s'arrêta, des cris d'effroi se firent entendre dans tous les coins de la cave, et le sergent sentit ses cheveux se dresser en voyant que le vin répandu paraissait former une mare de sang. Le corps d'une femme nue, dont les cheveux blonds se répandaient à terre et trempaient dans l'humidité, était étendu sous ses pieds. Le sergent n'aurait pas eu peur du diable en personne, mais cette vue le remplit d'horreur ; songeant après tout qu'il avait à rendre compte de sa mission, il s'empara d'un cachet vert qui semblait ricaner devant lui, et s'écria : « Au moins, j'en aurai une ! »

1. Danse déchaînée.
2. Grands verres.
3. Fermée avec de la cire.

Un ricanement immense lui répondit. Cependant, il avait regagné l'escalier, et montrant la bouteille à ses camarades, il s'écria : « Voilà le farfadet[4] !... Vous êtes bien capons[5] (il prononça un autre mot plus vif encore), de ne pas oser descendre là-dedans ! » Son ironie était amère. Les archers se précipitèrent dans la cave, où l'on ne retrouva qu'une bouteille de bordeaux cassée. Le reste était en place.

Les archers déplorèrent le sort de la bouteille cassée ; mais, braves désormais, ils tinrent tous à remonter chacun avec une bouteille à la main. On leur permit de les boire. Le sergent de la prévôté dit : « Quant à moi, je garderai la mienne pour le jour de mon mariage. » On ne put lui refuser la pension promise, il épousa la couturière, et... Vous allez croire qu'ils eurent beaucoup d'enfants ? Ils n'en eurent qu'un.

CE QUI S'ENSUIVIT

Le jour de la noce du sergent, qui eut lieu à la Rapée[6], il mit la fameuse bouteille au cachet vert entre lui et son épouse, et affecta[7] de ne verser de ce vin qu'à elle et à lui. La bouteille était verte comme ache[8], le vin était rouge comme sang. Neuf mois après, la couturière accouchait d'un petit monstre entièrement vert, avec des cornes rouges sur le front. Et maintenant, allez, ô jeunes filles ! allez-vous-en danser à la Chartreuse... sur l'emplacement du château de Vauvert !

4. Feu follet, esprit moqueur.
5. Peureux.
6. Ce quartier de Paris tirait son nom du quai de la Rapée, sur le bord de la Seine. C'est là que l'on déchargeait le vin et que l'on faisait son commerce.
7. Fit bien attention.
8. Plante au feuillage vert, qui ressemble au céleri.

Autre lecture

Cependant l'enfant grandissait, sinon en vertu[1], du moins en croissance[2]. Deux choses contrariaient ses parents : sa couleur verte et un appendice caudal[3], qui semblait n'être d'abord qu'un prolongement du coccyx[4], mais qui, peu à peu, prenait les airs d'une véritable queue. On alla consulter les savants, qui déclarèrent qu'il était impossible d'en opérer l'extirpation[5] sans compromettre la vie de l'enfant. Ils ajoutèrent que c'était un cas assez rare, mais dont on trouvait des exemples cités dans Hérodote, et dans Pline le Jeune. On ne prévoyait pas alors le système de Fourier.

Pour ce qui était de la couleur, on l'attribua à une prédominance du système bilieux. Cependant on essaya de plusieurs caustiques[6] et l'on arriva, après une foule de lotions et frictions, à l'amener tantôt au vert bouteille, puis au vert d'eau, et enfin au vert pomme. Un instant la peau sembla tout à fait blanchie, mais le soir elle reprit sa teinte.

Le sergent et la couturière ne pouvaient se consoler des chagrins que leur donnait ce petit monstre, qui devenait de plus en plus têtu, colère[7] et malicieux. La mélancolie qu'ils éprouvèrent les conduisit à un vice trop commun parmi les gens de leur sorte. Ils s'adonnèrent[8] à la boisson. Seulement le sergent ne voulait jamais boire que du vin cacheté de rouge, et sa femme que du vin cacheté de vert.

Chaque fois que le sergent était ivre mort, il voyait dans son sommeil la femme sanglante dont l'apparition l'avait épouvanté dans la cave, après qu'il eut brisé la bouteille. Cette femme lui disait : « Pourquoi

Charles Fourier

Philosophe français, Charles Fourier (1772-1837) a réfléchi à une société idéale, fondée sur le bonheur des peuples.

1. Sagesse.
2. Taille.
3. Une excroissance en bas du dos.
4. Dernier os de la colonne vertébrale.
5. De l'enlever.
6. Produits chimiques qui ont la particularité de brûler les cellules vivantes.
7. Coléreux.
8. Se mirent.

Autre lecture

m'as-tu pressée sur ton cœur, et ensuite immolée[9]... moi qui t'aimais tant ? »

Chaque fois que l'épouse du sergent avait trop fêté le cachet vert, elle voyait dans son sommeil apparaître un grand diable, d'un aspect épouvantable, qui lui disait : « Pourquoi t'étonner de me voir... puisque tu as bu de la bouteille ?... Ne suis-je pas le père de ton enfant ?... » Ô mystère !

Parvenu à l'âge de treize ans, l'enfant disparut. Ses parents, inconsolables, continuèrent de boire, mais ils ne virent plus se renouveler les terribles apparitions qui avaient tourmenté leur sommeil.

180

MORALITÉ

C'est ainsi que le sergent fut puni de son impiété[10], et la couturière de son avarice.

CE QU'ÉTAIT DEVENU LE MONSTRE VERT

On n'a jamais pu le savoir.

9. Tuée.
10. Fait de ne pas croire en Dieu.

Autre lecture

À lire

- ### *La Cafetière*, de Théophile Gautier, 1831

Après une longue marche ralentie par la pluie et la boue, des amis parviennent tardivement au château normand où ils sont attendus. Le narrateur est surpris par l'atmosphère de sa chambre : tout y évoque le XVIIIe siècle, meubles, tableaux, robes jetées négligemment sur le parquet ciré. Il voudrait s'endormir mais n'y parvient pas car le lit s'agite sous lui. D'autres phénomènes étranges se succèdent.

- ### *La Patte de Singe*, de William Wymark Jacobs, 1902

La patte de singe est un talisman rapporté des Indes par un vieux soldat qui la remet à une famille amie tout en lui conseillant de la brûler. Mi-sceptique, mi-amusée, la famille fait un vœu et la patte frémit.

- ### *La Pastorale*, de Stephen King, 1978

Harold Paquette possède une jolie maison où il vit paisiblement avec sa famille jusqu'au jour où le chat des voisins est accidentellement broyé par la tondeuse. Harold fait appel à une société spécialisée dans l'entretien des jardins, « la Pastorale ». Mais la tondeuse du jardinier professionnel semble douée d'une volonté inquiétante et s'anime dangereusement jusqu'à créer l'épouvante.

À voir

► **La série de films *Harry Potter*** est adaptée des romans écrits entre 1998 et 2007 par la romancière J. K. Rowling. La réalité quotidienne du jeune héros est perturbée par des phénomènes étranges qui font basculer les aventures dans le fantastique. La série de films participe aussi de l'univers du conte.

• *Harry Potter à l'école des sorciers*, Chris Columbus, 2001
• *Harry Potter et la chambre des secrets*, Chris Columbus, 2002
• *Harry Potter et le prisonnier d'Azkaban*, Alfonso Cuaron, 2004
• *Harry Potter et l'ordre de Phœnix*, David Yates, 2007
• *Harry Potter et le Prince de sang mêlé*, David Yates, 2009
• *Harry Potter et les reliques de la mort* 1, David Yates, 2010
• *Harry Potter et les reliques de la mort* 2, David Yates, 2011

► **La saga cinématographique *Twilight*** (4 films réalisés entre 2008 et 2012) : un jeune vampire, un jeune loup-garou et une belle adolescente s'aiment, s'affrontent, se perdent et se retrouvent sur fond de guerre de clans.

• *Fascination*, Catherine Hardwicke, 2008
• *Tentation*, Chris Welz, 2009
• *Révélation*, première partie, Bill Condom, 2011
• *Révélation*, seconde partie, Bill Condom, 2012

Table des illustrations

Conception graphique : Julie Lannes
Design de couverture : Denis Hoch
Recherche iconographique : Gaëlle Mary
Mise en page : Linéale
Édition : Valérie Antoni, assistée de Bruna Masetti

COLLÈGE

LYCÉE

BTS

N° édition : 10240898 - Dépôt légal : octobre 2017
Imprimé en France par la Nouvelle Imprimerie Laballery - N° 709443

La Nouvelle Imprimerie Laballery est titulaire de la marque Imprim'Vert®